D1229055

LE RIRE
DES DÉESSES

DE LA MÊME AUTEURE

Romans, récits, nouvelles

SOLSTICES, Regent Press, 1977. Rééd. Éditions Le Printemps, 1997.
LE POIDS DES ÊTRES, Éditions de l'Océan Indien, 1987.
RUE LA POUDRIÈRE, Nouvelles Éditions Africaines, 1989.
LE VOILE DE DRAUPADI, L'Harmattan, 1993.
LA FIN DES PIERRES ET DES ÂGES, Éditions de l'Océan Indien, 1993.
L'ARBRE FOUET, L'Harmattan, 1997.
MOI, L'INTERDITE, Éditions Dapper, 2000.
PAGLI, Gallimard, 2001.
SOUPIR, Gallimard, 2002.
LA VIE DE JOSÉPHIN LE FOU, Gallimard, 2003.
EVE DE SES DÉCOMBRES, Gallimard, 2006.
INDIAN TANGO, Gallimard, 2007.
LE SARI VERT, Gallimard, 2009.
LES HOMMES QUI ME PARLENT, Gallimard, 2011.
LES JOURS VIVANTS, Gallimard, 2013.
L'AMBASSADEUR TRISTE, Gallimard, 2015.
L'ILLUSION POÉTIQUE, Paulsen/Facim, 2017.
MANGER L'AUTRE, Grasset, 2018.
FARDO, Cambourakis, 2020.

(Suite en fin d'ouvrage)

ANANDA DEVI

LE RIRE DES DÉESSES

roman

BERNARD GRASSET
PARIS

ISBN 978-2-246-82714-6

PREMIÈRE PARTIE

Chinti

L'homme écarte le rideau et contemple le petit corps endormi, nu dans la chaleur épaissie par les fumées de l'encens, nu dans la nuit crépitant de braises, nu dans ce temple où les dieux ne dorment jamais mais ne se préoccupent guère des agissements des hommes.

L'enfant n'est séparée de la salle principale que par ce rideau. Elle repose sur un matelas à même le sol. Des gouttes de sueur dégoulinent le long de ses flancs pour imprégner l'étoffe du matelas. Sa respiration est lente et profonde. À côté, un verre de lait dégage l'odeur moitié fade, moitié épicée, du chanvre indien qui y est mélangé. Sur le visage tourné vers la porte, une larme s'est accrochée à l'aile de la narine. Elle lui semble émouvante.

L'homme s'assied sur le matelas, en faisant attention à ne pas bousculer l'enfant endormie. Comme d'habitude, cette proximité le fait trembler. Il hume le parfum si particulier de cette chair, mélange de sueur, de lait caillé et d'effluves miellés, reconnaissable entre tous. *Son* parfum. Il avance enfin la main pour toucher le dos soyeux. Il sourit avec tendresse en constatant que sa main recouvre entièrement le torse étroit.

— Petite Fourmi… murmure-t-il en se penchant.

Ils sont arrivés au crépuscule, à l'instant précis où s'unissaient les ors du soleil et des bûchers.

Rien ne révèle la beauté aussi parfaitement que l'annonce d'une fin imminente. Bénarès est la ville de la fin, de toutes les fins. Ici, on abandonne aussi bien les espoirs que les terreurs. C'est pour cela que, malgré le bruit et les cris et les larmes, son visage d'argile demeure si paisible.

Le long du chemin, les corps incinérés ne sont plus qu'une masse noire, bien trop compacte pour contenir l'épaisseur du vivant. L'enfant se demande où le reste est allé, comment la présence des hommes peut se dissiper aussi facilement, se réduire à cette poignée de cendres, à ces fragments d'os brisés, laissés là comme des rebuts bientôt repoussés dans la rivière. C'est ça, ce qu'il y a sous ma peau ? se dit-elle, effrayée.

Pourtant, toute la ville est consacrée à la célébration du passage de l'existence à la mort. Une terrible industrie condamnée à refaire, de jour en jour, d'heure en heure, le même travail. Ici, on se charge de débarrasser les vivants du poids des morts. On tente d'offrir aux trépassés une traversée plus aisée vers l'au-delà, une incarnation meilleure, voire la libération du cycle des renaissances. Mais on permet surtout à ceux qui restent de continuer à vivre, tranquilles, allégés, ayant déposé les dépouilles dans les paumes d'une plus grande puissance.

Oui, toute une industrie que d'amener le bois depuis les lointaines forêts de l'Himalaya, le débiter, construire les bûchers, placer les branches et les brindilles autour des cadavres. Puis, les oindre de ghee et alimenter le feu pendant des heures jusqu'à ce que tout soit consumé. Ensuite, trier avec de longues piques les résidus encore incandescents, en séparer les os et les parties du corps pas tout à fait brûlées. Les jeter à l'eau. Petites bêtes fureteuses, les enfants des Doms chargés de l'incinération cherchent les bijoux et les objets précieux portés par les morts, désormais inutiles. Les cendres, elles, seront rassemblées pour être rendues à leurs proches. Mais une partie sera absorbée par le corps des travailleurs, des familles et des croyants, à travers leurs narines, leurs pores et leurs cheveux ; invisible invasion.

Qu'arrive-t-il à la part des morts qui entre dans le corps des vivants ? s'est demandé l'enfant.

Elle a également vu des corps non incinérés, jetés sommairement dans le fleuve. Ils se décomposeront au cours de leur voyage, seront bientôt grignotés par les poissons et les animaux, mais leur âme, qu'arrivera-t-il à leur âme ? Elle ne sera pas transportée vers le ciel par les fumées du bûcher. Où iront-ils alors, ces gens, dans ce curieux voyage ?

L'eau sous son regard a l'épaisseur huileuse des corps consumés. Quand les pèlerins s'y immergent, sentent-ils sur eux les traces de toute cette humanité noyée ? Comme des anguilles enroulées autour de leurs chevilles, les soupirs, les regrets, les chevelures ?

Mais elle n'a guère eu le temps de penser à tout cela. Une fois arrivée, une fois que la peur s'est emparée d'elle, il n'y a plus eu de place pour la réflexion.

Elle a été amenée dans cette petite pièce du temple, où les prières, les chants et le son des cloches lui semblaient de plus en plus menaçants. La fumée de l'encens l'étourdissait. Le lait épais qu'il lui a fait boire lui a blanchi les lèvres et l'a emplie d'un vertige. Elle s'est endormie aussitôt après avoir bu.

Quand elle s'est réveillée, peu après, il était toujours là, lui. Il lui a dit de dormir, et elle a refermé les yeux.

Recroquevillée sur elle-même, terrifiée à l'idée d'être seule ici, où tout lui semble si étrange, où les esprits sont bien plus nombreux que les vivants, où le chant des défunts ne s'interrompt jamais, elle ferme à nouveau les yeux et tente de s'imaginer de retour dans la Ruelle, avec sa mère, où elle a passé les dix premières années de sa vie.

Son premier souvenir est celui d'un mur.

Une paroi la séparait de sa mère. Une paroi ? Non : une interdiction. C'était dans ce lieu hanté par les ombres, un renfoncement où seules les souris pouvaient faire leur nid, que sa mère, Veena, la déposait avec l'ordre de ne pas faire de bruit et de ne pas bouger. Pendant longtemps – elle avait alors un ou deux ans – elle se contentait de s'y recroqueviller et de pleurer en silence. Cela pouvait durer des heures. Parfois, elle s'endormait d'épuisement, et rêvait qu'elle pleurait encore. Son petit visage était inondé : de larmes, de morve, de bave. Tout cela avait le temps de sécher et de se liquéfier de nouveau avant que Veena ne vienne la ramasser comme une petite bête défaite en la soulevant par un bras. Elle était ensuite couchée sur une natte à même le sol, attendant l'instant où le corps de Veena viendrait s'effondrer à ses côtés, avalanche d'os et de tissus, avec le poids de sa fatigue, son parfum de sueur et de sang. Seulement alors, elle se sentait en paix ; le chagrin s'éloignait pendant quelques heures. Sa mère ne la quitterait pas, ne se séparerait pas d'elle par une paroi en contreplaqué, ne la laisserait pas se figer comme une poupée de cire dans sa solitude.

Pour profiter de ce sursis, elle s'efforçait de ne pas dormir. Elle ouvrait grand les yeux, malgré le picotement du sommeil qui la menaçait comme un diable taquin, qui la surprenait au passage, qui tirait son corps vers le vide, vers l'abîme, vers l'oubli. Elle mordait son pouce au lieu de le sucer, et ses petites dents y laissaient des traces si profondes qu'elles ne s'effaçaient jamais tout à fait. Après de longs moments d'agitation, de soupirs, de plaintes issues des profondeurs de son corps, Veena finissait par s'endormir. La petite s'avançait alors avec précaution, écartait le haut de sa blouse bâillant sur son opulente poitrine, et osait prendre le sein toujours chaud dans sa bouche, comme autrefois, avant que le lait maternel lui soit refusé. L'enfant avait alors dû avaler un liquide infâme, mélange de gruau et de lait en poudre, dont elle vomissait la quasi-totalité avant que son estomac se décide, par instinct de survie, à le digérer.

Alors, à son tour, elle lui volait une part d'elle. Il n'y avait plus de lait, mais il y avait autre chose : une texture, un goût secret, une consolation interdite. Sa langue s'enroulait, habile, autour du mamelon. Sa main osait s'aventurer sur les courbes fatiguées et explorer la masse spongieuse où elle se serait volontiers lovée. Elle y respirait une poussière d'être qui s'était accumulée là, qui était l'essence de sa mère, des particules argentées qu'elle lécherait et aspirerait pour ne pas la perdre, pour ne jamais plus se sentir oubliée et abandonnée. Ainsi absorbée, Veena serait toujours ce corps flasque comme un tissu jeté à terre, ce sein découvert et offert à sa fille, cette grande vague de chair enfin prête à l'accueillir.

Parfois, ce toucher semblait lui plaire car elle se relâchait et se détendait, comme pour entrer dans un rêve plus doux. D'autres fois, au contraire, elle se raidissait à ce contact, un creux entre les sourcils, se débattait et repoussait, avec la violence ouatée et languide du sommeil, la bouche accrochée à elle comme une sangsue.

Des mois passent. Rien ne change. Mais un jour, enfin, la petite s'aperçoit qu'il y a une fente dans la paroi. Elle comprend que celle-ci ne représente ni la fin du monde ni la fermeture définitive de son horizon. L'univers ne se résume pas à ce mur fragile.

Elle se met à genoux et colle son œil à l'ouverture. D'abord, elle ne comprend pas cette perspective déformée. Puis les choses se précisent : les bruits qu'elle entend depuis toujours de l'autre côté ne sont pas ceux émis par des bêtes engagées dans un combat titanesque qui dure depuis qu'elle existe (et dont la violence fluctuait selon les heures ou leur colère, leurs cris passant du barrissement d'éléphant au couinement de souris), mais sont émis par sa mère et quelqu'un d'autre. Elle reconnaît avec stupeur cette chose gigotante et nue. Aucun tissu ne recouvre l'ample terre qui l'accueille chaque nuit. L'autre, collé à elle, est à moitié dévêtu. La lutte qu'ils se livrent n'est pas aussi grandiose que celle de ses monstres imaginaires. Deux corps mal cadencés, tout simplement. Et des râles, et des plaintes, et des gémissements grotesques. Les fesses de l'homme sont velues, divisées par une raie sombre et rouge. Les jambes de sa mère, au-dessous, sont des poissons morts. Une chaînette en argent encercle ses chevilles. Le derrière de l'homme s'élève et se rabaisse en rythme. Cela fait rire la petite. Les poissons morts ont de brefs soubresauts. Les chaînes aux chevilles tintent. L'homme écrase le corps de sa mère, l'emprisonne dans la nasse de sa graisse. Il a la bouche autour d'un sein ! Mouvements incessants, cadences furieuses, il tape de sa paume la cuisse ouverte, une fois, deux fois, puis d'un seul coup il se cabre, le cou se raidit, et il lance sa tête en arrière avec une grimace de douleur absolue. Il appuie de toutes ses forces le bas de son corps contre celui de sa mère.

Au même instant, celle-ci ouvre les yeux et contemple froidement le visage grimaçant qui la surplombe.

Plus tard, lorsqu'elles vont se coucher, l'enfant ne se blottit pas contre elle pour dormir. Veena ne remarque rien et s'endort en poussant, comme d'habitude, des soupirs rageurs. La petite s'approche, mais c'est seulement pour la renifler. Son cou, sa poitrine, son ventre, ses cuisses, ses pieds. Elle associe l'odeur étrangère qu'elle hume à l'image de l'homme engloutissant sa mère dans une marée de chair.

Désormais, la fente lui sert d'école. Elle ne pleure plus d'être seule. Elle regarde, écoute, apprend.

Les hommes se succèdent, tous différents. Les bruits de bêtes en bataille, eux, ne changent pas. Parfois, cela va très vite. Ils ne se déshabillent même pas. Parfois, cela prend du temps. Veena serre les poings sur le matelas. Toute la nuit, et une partie de la journée, elle les attend. Entre deux hommes, elle reste un instant allongée, vague, éteinte, avant de se remettre debout. Elle ne pense pas à sa fille, sauf aux heures de repas, lorsqu'elle vient lui donner une assiette de lentilles. Mais la petite ne se plaint plus. Elle la sent plus proche qu'avant. Elle l'accompagne. Elle comprend le langage des chiens et des corps. Elle comprend aussi que chacun des visiteurs dévore une partie de sa mère, en arrache un morceau, puis un autre, et qu'un jour, il ne restera plus rien d'elle que la marque de ses ongles rageurs sur le matelas mince.

Dans cette ruelle qu'on appelle simplement la Ruelle, des cellules minuscules s'entassent sur trois étages, avec juste assez de place dans chacune pour un matelas posé à même le sol ou un lit étroit et un petit tabouret qui sert de siège et de table à la fois, et une bassine d'eau qui au bout de quelques heures est remplie d'une boue infâme. Des femmes sont assises sur le seuil, parées de leurs vêtements bariolés, de leurs paillettes, de leurs bijoux, de leurs fleurs. À la fois une mascarade et un paroxysme de beauté. Les grands sourires sont abîmés. Le parfum dont elles s'aspergent ne masque pas les relents du mâle englués à leur peau. Et rien ne peut dissimuler leur tristesse : ni le khôl soulignant leurs yeux, ni le rose sur les joues, ni le rouge sur leurs lèvres.

Dans cette Ruelle aux flaques d'eau croupies, jamais évacuées, parmi la mousse qui tapisse les murs et les ordures entassées dans les recoins, elles ressemblent, de loin, à des étoiles colorées. Des éclats de verre, de rire, qui captent les rares lumières. Mais allons plus près, plus près : dans ces corps bariolés de jaune safran, d'orange cuivré, de vert limon s'est installée la plus parfaite obscurité. L'espoir s'y réfugie pour mourir.

Voici Gowri, amenée ici depuis son village alors qu'elle n'avait que treize ans, parce que ses parents avaient décidé de l'envoyer à la ville avec un « oncle » qui disait lui avoir trouvé un bon travail. C'est le rôle des oncles, dans ces coins-là, même s'il s'agit d'une vague connaissance, parent lointain d'un lointain parent. Le mot *travail* ne trompe personne. Dans les yeux de Gowri, et la bouche de Gowri, et le front de Gowri, et les mains de Gowri, on peut retracer le chemin sur lequel l'a conduite cet « oncle » : d'abord dans une charrette tirée par des bœufs dont le regard semblait lui offrir toute la pitié du monde ; puis la forêt où il l'a violée pendant toute une nuit ; ensuite sur la longue route vers la ville, dans un camion, entourée d'hommes et d'autres jeunes filles, où chaque nuit on s'arrêtait pour apprendre aux filles à « travailler ». Gowri vous dirait, pour peu que vous le lui demandiez, comment en deux jours de voyage on comprend que chaque partie du corps a son utilité, et qu'aucune partie de ce corps ne vous appartient.

Il y a Kavita, née aveugle et très tôt abandonnée par sa famille car bouche à nourrir ne donnant rien en retour. Ayant échappé au recours de l'infanticide, elle aussi a dû se tourner vers le seul métier possible : ce monde manque terriblement d'imagination. On aurait pu croire que les clients, avec leur crainte superstitieuse de l'infirmité, l'auraient fuie et qu'elle aurait été bannie de la Ruelle. Mais les autres femmes, pour une fois, n'ont pas tenté de la terroriser comme elles terrorisent les nouvelles jusqu'à ce qu'elles prouvent, par leur opiniâtreté et leur férocité, qu'elles ont mérité leur place ; elles l'ont acceptée parce qu'elle était la preuve vivante qu'il y avait plus misérable qu'elles. Les hommes, eux, constatant son infirmité, étaient pris de curiosité, voulaient « voir » ce dont elle était capable, comment elle prendrait les coups qu'elle ne verrait pas venir. Elle est ainsi devenue, contre toute attente, populaire. Personne ne sait, en revanche, comment elle vit dans ce noir permanent d'où jaillit la violence, sans prévenir.

Il y a Janice, au corps magnifiquement indécent et au visage d'une bouleversante laideur. Les hommes sont là pour son corps, bien sûr, ils se foutent de ce faciès qu'elle ne prend même pas la peine de cacher sous un voile. Malgré cela, les autres femmes jalousent ses seins qui ressemblent à deux orbes solaires attirant tous les regards, et la chute de ses reins, qui pourrait être mise en chanson s'il y avait des poètes à l'entour – il n'y en a pas.

Il y a Bholi, qu'on croit idiote mais qui ne l'est pas, qui garde pour elle ses pensées et ses rêves, et répond à toutes les questions par un regard morne, sans la moindre lueur de compréhension, et une bouche à moitié ouverte. Cela la rend inoffensive. Jouer aux demeurées lui permet de se bâtir une solide armure de solitude.

Et tant d'autres, et tant d'autres ; des gamines, des vieilles, des bossues, des élancées, des grosses, tant d'autres qui attendent devant leur cellule, le visage faussement rieur et les pieds dans la crasse. Tant d'autres échouées là parce que sans cela tu crèves, et qui vieilliront là et finiront par mourir de faim lorsque leur corps sera trop usé et qu'elles n'auront pas réussi à devenir maquerelle ou la compagne d'un maquereau.

Leurs enfants naissent et grandissent ici ; et les filles attendent leur tour et les garçons attendent leur tour. Pas de la même façon.

C'est un monde, il n'y a pas de doute. Dans chaque cellule, dans chaque tête, dans chaque cœur, ce même monde minuscule se construit, grandit et meurt. La cellule, elle, reste la même. La femme seule change. Elle perçoit chaque pli du corps, chaque os, chaque couche de graisse, chaque coup imprimé dans son œil de plus en plus noir. Vite, elle ajoute des couleurs, plus de rose vif sur les joues brunes, plus de rouge sur les lèvres pour camoufler les gerçures, plus de paillettes sur les saris et les voiles, et découvre davantage la poitrine pour que les hommes s'arrêtent ici plutôt qu'ailleurs. Assises, elles soulèvent leurs jupons pour exposer leurs jambes, parfois ponctuées de cicatrices, parfois étonnamment graciles, toutes arborant les infinies couleurs de la terre et de la pierre.

En toute saison, elles sont là. Avec un ventilateur sous leur sari pour se rafraîchir les fesses, ou un petit réchaud à charbon qui grésille familièrement et semble vouloir saisir un bout de leur voile pour nourrir leur brasier. Certains mois, la Ruelle tout entière est recouverte de parapluies multicolores et d'un bruit de castagnettes. Il faut hurler pour se faire entendre et accepter d'avoir les pieds dans l'eau jusqu'à mi-mollet.

Pendant la mousson, les cellules s'emplissent d'eau et les enfants doivent écoper, essuyer, balayer. On recouvre tout de bâches en plastique bleu vif, à la trompeuse gaieté, on protège surtout le matelas – sinon, il faudra recevoir le client debout, ce qui rapporte moins d'argent, ou alors allongées le dos dans l'eau, les vêtements et la peau pareillement détrempés et plissés, les couleurs fuyant pour ne laisser qu'un chiffon de chair imbibé de gris. À chaque mousson, le jour devient plus misérable, le matin plus fatigué, la vie moins vivable.

La mère de la petite, Veena, semble alors de plus mauvaise humeur encore. Depuis leur prison commune, elle regarde les trombes d'eau qui se déversent dans la Ruelle et que le vent pousse à l'intérieur, et elle serre les dents, repousse l'eau avec un balai, déclare la guerre à la pluie et émet un cri furibond à chaque mouvement de ses bras. Légendaire, la colère de Veena ! Lorsqu'elle fait manger la petite, elle lui enfonce les doigts dans la bouche comme si elle voulait l'étouffer. L'enfant ne pleurniche pas comme elle l'aurait fait il y a seulement quelques mois. L'école de la fente lui a appris à se taire afin de ne pas entendre la voix de la bête cachée dans sa mère. Elle avale le riz et les lentilles sans mâcher, même si c'est trop chaud, même si parfois un morceau de piment rouge se glisse dans une bouchée, parce que Veena est toujours pressée, et elle ne quitte pas sa mère des yeux parce que chaque image d'elle lui est précieuse. Encore un instant, elles seront ensemble, réunies par ce toucher intime, *ton doigt dans ma bouche*, elles seront ensemble parce qu'il pleut trop pour que les clients commencent à arriver, et c'est bien ainsi, encore un peu de pluie, demande la petite, pour que ce moment dure. Mais, déjà, Veena l'oblige à terminer son repas, elle va derrière la cellule pour laver la timbale, rapporte un verre d'eau, la lui fait boire et la débarbouille sommairement. Ensuite elle la pousse derrière la paroi dans le minuscule espace qui est son univers (rebut indésiré, compagne des souris en liesse), puis se prépare, ne se regarde même pas dans le miroir fêlé tant elle hait ce visage, cette bouche, ces yeux où plus rien ne vit.

Elle s'habille, passe brièvement la main sur ses bras couverts de bleus, à peine visibles sur sa peau foncée mais dont la brûlure ne s'efface jamais. Elle peigne ses longs cheveux, arrachant, impitoyable, les nœuds rétifs, les relève avec une barrette ornée de perles en plastique argentées, et y fixe la grappe de fleurs achetées plus tôt au marchand ambulant qui, chaque jour, fait le tour des cellules avec ses paniers de fleurs accrochés à sa bicyclette.

Lorsqu'il vient, toutes les femmes sourient. Ici, même les petits miracles ont leur importance. Le parfum des fleurs encore fraîches parvient à triompher des relents de la Ruelle. Leurs couleurs apaisent l'âme, leur beauté les reconstruit. Chacune garde quelques billets froissés pour cette minuscule fenêtre s'ouvrant sur une merveille. Les mains les caressent, les effleurent, les soulèvent pour les humer. Ensuite, d'un geste universellement gracieux, elles les ajustent à leur chevelure, sachant qu'une part de la merveille restera avec elles, résistera avec elles, le temps d'une journée, le temps d'une nuit.

Oui, les fleurs sont une sorte de résistance ; la seule qui leur soit permise.

Après le passage du marchand, l'interlude poétique se termine et la longue valse des autres acteurs de cette micro-économie commence. Voici le vendeur de lait, avec ses grands récipients en métal qu'il frappe de sa louche selon un rythme reconnaissable de loin. Puis le marchand de beignets, dont l'odeur sucrée ou salée est toujours alléchante pour la petite qui ne mange jamais à sa faim. Puis la marchande de produits de maquillage, tous fabriqués en Inde, moins chers que ceux venant de Chine parce qu'ils sont composés de produits de plus mauvaise qualité encore – les rouges à lèvres bavent, le fond de teint forme en fin de journée une pâte à l'odeur rance, le khôl brûle les paupières, mais qu'importe, elles veulent dépenser le moins possible. Puis il y a les recharges téléphoniques, le thé et l'alcool et les cigarettes et les sandales et les vêtements, et tous les vendeurs ambulants viennent vers elles parce qu'elles sont des clientes captives, et qu'elles peuvent alors rêver un instant et tenter d'oublier les si longues heures qui les attendent.

Mais comment oublier quand les rats, presque aussi gros que des chats, sortent leur tête des tas d'ordures ? Et les cabris viennent brouter le bout de leur voile, et les fils électriques, détachés du réseau pour alimenter gratuitement la Ruelle, pendent en grappes mortelles au-dessus d'elles, et les enfants mendiants encore plus pauvres rampent dans la crasse, leur renvoyant la réalité à la figure ?

Veena, elle, n'est pas aimée de la maquerelle, si tant est que celle-ci aime qui que ce soit. Elle a ses préférées : les jeunes, les dociles, et les rieuses. Or, Veena n'est ni jeune, ni docile, ni rieuse. Au contraire, elle porte sa rage en bannière, et son sourire le plus séducteur est toujours empreint d'un défi furieux qui fait souvent rire ses clients, eux qui, ici au moins, ont tous les pouvoirs et aucune crainte des femmes. Elle ne comprend pas comment une rage aussi vibrante, aussi vivante que la sienne, une rage qui lui tord les boyaux, peut les amuser. Les autres femmes connaissent bien la tempête contenue dans ce corps. Pendant toutes ces années, elle ne s'est pas fait une seule amie.

Elle est arrivée ici comme poussée par un vent d'orage. Échevelée, presque défaillante de faim, elle avait dans les bras un bébé si maigre qu'on ne pouvait s'imaginer qu'il survivrait. Mais ses yeux brûlaient déjà, et la maquerelle a frémi en la voyant, percevant en cette chose fracassée une flamme qui pourrait plaire aux hommes. Une battante à dompter, a-t-elle pensé, elle qui connaît toutes les pensées de ses filles et des hommes qui les consomment. Elle sait ce que les habitués veulent et ce que désirent ceux qui arrivent pour la première fois. Elle comprend ce que signifient une mâchoire serrée, un sourire en coin et chaque type de balafre. Les hommes sont simples à lire. Les filles, elles, le sont moins, mais elles sont infiniment pliables. C'est presque la même chose. Elles savent cacher leurs pensées, réprimer leurs instincts, et, surtout, survivre. Même si elles sont en réalité coléreuses, jalouses, mélancoliques, désespérées ou parfaitement stupides, en surface rien de tout cela ne transparaît ; tout est vite transformé en un rire bien trop lourd pour être lisible et c'est bien ainsi.

Mais en voyant Veena, avec sa charge de colère, son corps ravagé et son bébé dans les bras, la maquerelle imagine aussitôt du profit. En voilà une qui va agiter un peu la volière, se dit-elle en rigolant doucement. C'est nécessaire aussi, parfois. Sinon, les filles deviennent toutes pareilles et leur visage ne dit plus rien, un visage sans vie et sans forme. Les hommes, même s'ils viennent pour un coup rapide, ont toujours besoin qu'on leur raconte une histoire. Que la femme qui les reçoit offre à leur imagination en même temps qu'à leur corps de quoi se nourrir. Qu'ils sortent de là en ayant envie de poursuivre le récit amorcé. Veena, cela se voit, a un corps plein de légendes. Y compris celles qu'ils y écriront à leur tour.

Cela ne l'empêche pas d'être détestée. Elle n'a jamais éprouvé le besoin de faire un effort pour être aimée. Dès l'âge de quatre, cinq ans, elle a appris que de tels efforts sont vains et qu'ils ne font, au contraire, qu'attiser la braise. Elle se souvient de sa main d'enfant, plaquée sur un réchaud à charbon parce qu'elle essayait avec un peu trop d'insistance d'attirer l'attention de sa grand-mère. Un tel choc carbonise en soi toute velléité d'affection. C'en est fini de la douceur et de la gentillesse. Il n'y a plus de place que pour la haine. Ses parents ont tout fait pour se débarrasser d'elle le plus tôt possible, mais les partis ne se précipitaient pas. Elle n'avait pas de dot, n'était pas d'une caste élevée. Et il suffisait de voir son teint sombre et ses yeux plus obscurs encore pour que les rares prétendants prennent la fuite. Finalement, abrutie par les punitions constantes et le manque de nourriture, elle a fui, empruntant des routes inconnues, se cachant dans les bois, rejoignant d'autres voyageurs qui lui faisaient payer en nature leur protection, ce qui lui semblait normal. Elle s'est retrouvée enceinte, vieille, vieille histoire qui ne l'a même pas perturbée, puisque ce n'était que la suite logique des choses.

Parvenue à la ville, elle s'est dirigée vers le quartier des prostituées, certaine qu'elle pourrait survivre à cela aussi ; il le fallait. Elle avait raison. C'était le seul lieu de chute possible pour elle, pour elles toutes. Et pour elles deux.

Mais sa rage ne s'est pas assouvie pour autant. Au contraire, elle s'est amplifiée, s'est épanouie avec une liberté totale, et s'est finalement dirigée contre sa fille, qui porte en elle les germes d'un avenir en tous points semblable à sa vie à elle, et la même impuissance. Cela l'enveloppera, l'engloutira et la tuera, parce que Veena ne pourra rien faire pour l'empêcher. Tout au plus lui donner une cellule où dormir, une paroi en contreplaqué pour la protéger, des bouchées de nourriture, un linge pour se couvrir. Et la laide musique des corps en bruit de fond.

Le ressentiment de Veena s'est ainsi intensifié de jour en jour. Mais elle ne sait pas par quelle voie l'évacuer, pour peu que cela soit possible. Comment faire sortir de soi une telle fureur ? Cette cascade, cet océan, ce séisme ? Impossible ! Elle dort avec, vit avec, respire avec. Elle craint de disparaître sans ce double d'elle-même qui la tient debout comme un tuteur d'acier à la pointe aiguisée enfichée dans sa vie.

Celle qu'on a jusqu'ici appelée *Beti*, « l'enfant », n'a vraiment pas de nom. Ce n'est pas sa faute : Veena n'a jamais éprouvé le besoin de lui en donner un, espérant que cette absence d'identité la ferait vite disparaître. Mais l'enfant a résisté, tenace comme toutes les mauvaises herbes. Un cafouillage de bébé, voilà ce qu'elle était. Rien qui mérite un nom, surtout pas celui d'une sainte, cela aurait brouillé les pistes et risqué d'attirer sur elle quelque bénédiction trompeuse avant d'en faire une chose méprisée. Cela lui aurait donné, un temps, une impression de joie ou d'amour, comme lorsque les femmes lui sourient ou que les hommes s'amusent à jouer avec elle telle une poupée de chiffon. Mais au plus fort de l'illusion, le réel aurait frappé : la paume plaquée sur les braises, les rêves noyés dans la douleur. Non, vraiment, cela ne valait pas la peine de la nommer.

Qu'elle meure dans l'invisibilité, cela aurait bien convenu à Veena. Mais l'enfant a tenu bon. Elle a résisté, d'abord en pleurant derrière sa cloison, puis en devenant étrangement sereine. Veena n'a pas cherché à comprendre. Les rares fois où elle pense à la petite, elle se demande à peine pourquoi les larmes ont disparu. Une fille sans nom qui ne pleure pas, ça n'augure rien de bon, se dit-elle, avant de se laisser engloutir par un sommeil tourbeux.

Elle ne l'appelle jamais. Quand elle lui parle, c'est uniquement pour lui donner des ordres. Ouvre la bouche, tiens-toi tranquille, va te coucher. La petite, elle, ne répond pas. Veena se demande si elle l'a déjà entendue parler. Serait-elle muette ? Mais non, elle l'a entendu crier et pleurer avant qu'elle ne devienne silencieuse. Et elle n'est pas sourde non plus, puisqu'elle obéit aux ordres. Alors pourquoi ne consent-elle pas à parler ? Une idiote volontaire, comme Bholi, donc.

Veena hausse les épaules. Quelle importance ? À ses yeux, elles sont toutes infirmes, difformes, éclopées. La vie se charge de leur briser un à un les membres avant de leur tordre le cou. Volailles dans leur poulailler, dont les plumes sont arrachées une à une jusqu'à ce qu'elles finissent parfaitement nues. Ensuite, tout recommence.

Quelle importance ? Leur existence est une longue suite d'abandons. Pas besoin de mots, ni de larmes, ni de nom. Peut-être l'existence de la petite est-elle le symbole de leur destinée : mourir en faisant semblant de vivre.

En attendant, la pluie met Veena hors d'elle. C'est un combat jamais fini, jamais gagné, mais aussi un excellent exutoire à sa rage. La pluie est l'ennemie mortelle qui rassemble tous ses adversaires : sa grand-mère, ses parents, les hommes, la maquerelle, les femmes, la petite. Et elle-même, surtout, ne l'oublions pas.

Alors, elle s'agite, brasse, balais, brosses et bassines, finit par donner des coups de pied dans l'eau qui entre par giclées dans la cellule, et y ajouter aussi (mais cela, personne ne le voit) ses propres larmes. Elle l'invective, mais à mi-voix seulement, pour qu'on ne la prenne pas pour une folle.

C'est ainsi que lorsque le saint homme Shivnath passe un jour devant sa cellule, il est violemment aspergé par une furie aux jambes nues, le sari relevé à mi-cuisse, les cheveux en bataille, le visage grimaçant comme un démon des livres anciens. Il s'arrête, médusé ; jamais on ne l'a traité ainsi. Il en oublie de s'offusquer. Au contraire, il la trouve plutôt comique, cette furie, et c'est une nouvelle expérience dans cette Ruelle où les femmes sont parfois jolies, parfois laides, mais jamais comiques parce que le ridicule les ruinerait plus sûrement que toute autre tare. Leurs blagues sont salaces, leurs rires aussi. Leurs jeux de séduction consistent à roucouler, minauder, ou à lancer d'épais jurons destinés à décrire la fabuleuse virilité des clients ou leurs propres talents linguaux, etc. Les seins se découvrent, les bouches s'ouvrent, les cils agitent leurs ailes et les œillades voltigent. Ça, oui, il connaît bien. Mais un tel spectacle de colère sans limites et sans but ? Un tel désordre intime ? Non, il n'a jamais vu ça.

Elle, entre-temps, l'ayant remarqué, et ayant jaugé, d'un coup d'œil expert, la propreté de sa tenue (avant qu'il ne soit aspergé), les ongles nets, les cheveux bien coiffés, le front haut, le teint plutôt clair, et comprenant que ce client est différent des autres, peut-être plus agréable à flairer que les autres, elle se calme comme si on avait déversé un seau d'eau glacée sur sa tête. Vite, vite, elle lisse ses vêtements, remet de l'ordre dans ses cheveux, essuie son visage en sueur avec le pan de son sari. Et elle sourit.

On l'a dit, le sourire de Veena est légendaire. Loin d'être aguicheur, il parle d'une longue, longue histoire de haine. Un défi souverain au silence des dieux, d'une rugosité qui habille son visage d'éclats de verre et de fils barbelés. Un sourire si peu femme qu'il déroute tous ceux auxquels il s'adresse.

Shivnath est donc tout aussi désorienté par ce brusque changement d'humeur. Il vacille sur ses jambes, s'accroche à son grand parapluie et continue à la regarder en se demandant quelle espèce d'aliénée la maquerelle, qu'il connaît et fréquente depuis longtemps, a cette fois déterrée des villages infinis de son pays. Il sait qu'elle trouve de temps en temps une originale qui attirera le chaland fatigué des mêmes corps, qui sortira l'homme de sa pâle banalité et qui insufflera dans cette partie si essentielle de lui qu'est sa verge, un sang neuf et vif. Il se demande si, tout compte fait, une harpie à dompter ne serait pas justement ce qu'il est venu chercher ici, ce soir, après de longs jours de jeûne et de prières. Un sang neuf et vif pour son membre chéri.

Shivnath, le *swami* respecté de tous, haute stature, cheveux généreux effleurant ses épaules, mains fines, ongles nets (on l'a déjà dit mais ils sont vraiment remarquables, ses ongles, blanc et rose-corail), vêtements fraîchement lavés, amidonnés et repassés, s'arrête alors devant la cellule de Veena, et lui fait un sourire qui n'est pas une réponse à l'étrange grimace de la femme mais le signe de sa mâle bienveillance, la preuve qu'il est prêt à lui consacrer de son temps pour maculer son *dhoti* blanc-aube et prendre, en retour, son plaisir.

Veena n'en croit pas ses yeux et sa chance. Elle se dit que cet homme-là, au moins, a l'air civilisé. Sérieuse erreur. S'il y a des hommes dont on ne peut pas dire qu'ils sont civilisés, ce sont les hommes de dieu.

Enfin, à neuf ans, la petite décide de se donner un nom. Mais pas n'importe lequel. Un nom secret, un nom vrai, un nom tiré du silence, un nom qui dira qui elle est. Et qu'elle est. Jusqu'ici, elle a été une ombre, une absence. Quelque chose en elle exige d'exister.

Elle y réfléchit longtemps. Elle connaît leurs noms à toutes, même celles qui n'ont fait que passer. Elle n'a pas envie d'être une Bholi, une Janice, une Gowri, une Mary, une Fatima, et surtout pas une Veena. Alors quoi ? Pas de nom d'actrice de cinéma, c'est sûr. Pas de Priyanka, pas de Deepika, pas de Kangana, parce qu'elle sait que ces stars-là existent sur une autre planète, leur beauté même est inconcevable, inhumaine, elles n'ont rien à voir avec les femmes de la Ruelle, bien trop humaines, elles.

Un jour, elle entend la maquerelle se plaindre qu'il y a trop de fourmis dans son appartement. Elle demande à une fille de venir chasser les *chinti* qui font leur nid dans les cloisons et envahissent tout, dévorent la nourriture, et viennent la piquer la nuit. C'est là qu'elle décide qu'elle aussi est une fourmi, elle a fait son nid derrière une cloison (elle l'a rendu plus confortable en y accumulant de vieux saris jetés par les femmes, et une couverture moisie trouvée dans la rue, et de petits objets qu'elle aime, comme le pansement que Veena avait noué autour de son doigt quand elle s'était fait mordre par un rat) ; elle peut se faufiler partout ; et s'il y a de la nourriture quelque part, elle fonce dessus. Elle s'appellera donc Chinti, la fourmi.

Chinti acquiert ainsi une personnalité toute neuve. Elle sera celle qui se glissera dans les interstices, verra tout et ne sera vue de personne. Elle risquera peut-être d'être écrasée par des pieds trop lourds mais saura toujours se cacher avant que cela n'arrive et les mordra en retour. Chinti n'est pas une petite fille mais un insecte aux mandibules puissantes, aux antennes sensibles, aux pattes agiles. Celle qui connaît les chemins secrets que d'autres ne connaissent pas et qui peut voir à travers les murs. Chinti n'a pas encore de famille ni de tribu, mais elle est certaine qu'elle les découvrira dès lors qu'elle aura développé ses nouveaux pouvoirs.

Depuis que Shivnath vient voir sa mère, les leçons de la fente se sont accélérées. Mais il y a encore des mystères qu'elle ne comprend pas. Par exemple, Shivnath change de personnalité selon le jour et le mois. Lorsqu'il jeûne, il devient plus méchant. Lorsqu'il a bien mangé et bien bu, il couvre Veena de caresses. Et Veena semble tellement fascinée par lui. Elle se prépare plus soigneusement lorsqu'elle sait qu'il va venir, et devient alors moins tranchante, même si après son départ elle retrouve sa méchanceté d'avant ou sombre dans la mélancolie. Aux yeux de Chinti, Veena est un peu moins Veena après le passage de Shivnath, plus une chose abîmée qui s'ignore.

Chinti se prépare, elle, à être plus que Veena. À ne pas devenir un animal hurlant lors de terribles combats de chair. À être une petite créature invisible qui se faufile, se glisse, occupe librement ses espaces, et sur laquelle ne pèsera jamais le poids d'un homme, qu'il soit propre sur soi comme Shivnath ou non. Au final, à l'école de la fente, tous les animaux grimaçants qui s'appesantissent sur sa mère se ressemblent. Shivnath n'est pas si différent de l'océan de graisse hirsute qu'elle avait vu pour la première fois sombrer sur Veena.

Je suis, pense-t-elle, la fourmi rouge qui se dérobe, qui s'échappe, les pique dans le gras du corps, laisse la marque de ses morsures et n'en reçoit aucune, surtout pas les bleus et les violets qu'ils impriment sur la peau de ma mère. Je suis celle qui s'échappera de la Ruelle.

Chinti, petite fourmi à ailes, survole ses rêves. Pour la première fois, ayant trouvé son nom, elle sourit. Pendant ce temps, Veena la regarde d'un œil mauvais. Sa fille ne devrait pas sourire. Il n'y a rien ici qui y invite, surtout pour un enfant.

Une envie de la gifler la saisit, mais elle se retient ; sa main se dérobe. Non, se dit-elle, pas cette fois. Elle n'a rien fait. D'ailleurs, d'où lui vient cette envie de la frapper comme si elle se punissait elle-même ? Elle l'observe à la dérobée. Elle grandit vite, trop vite. Elle ne peut plus être ignorée et mise au rebut. Ses yeux semblent exiger d'être enfin vue. Mais la voir, c'est accepter une responsabilité que Veena a toujours rejetée. Cette maternité qui est une fausse jouissance des femmes, une chaîne de plus, un esclavage de plus, elle n'en a jamais voulu. Mais voilà que son cœur et son corps la trahissent. Le cœur et le corps de la femme sont diaboliques, se dit-elle, ils œuvrent à notre asservissement. (Elle ne sait pas encore qu'ils peuvent aussi être des miracles.)

Elle se détourne, exaspérée par ce sentiment nouveau de culpabilité (et une sorte de vacillement, de flageolement, un vertige d'amour inconnu). Elle ne veut d'aucune source de faiblesse dans sa vie. Quand le temps viendra de la donner, je le ferai sans état d'âme, se promet-elle.

La donner à qui, à quoi ? Elle n'ose s'aventurer plus avant sur cette voie glaciale.

Entre-temps, Chinti voit l'étrange relation entre Veena et Shivnath se développer. Ils sont fascinés l'un par l'autre. Shivnath revient et revient encore, malgré ses moues lorsqu'il entre dans la cellule. Veena a acheté un drap propre qu'elle ne garde que pour lui. Elle prend soin de nettoyer la pièce avant son arrivée, allume des bâtonnets d'encens qui brûlent à longueur de journée et de nuit. Mais les murs sont trop imprégnés de la crasse des âges, la boue des corps, l'odeur du sang, pour qu'elle puisse lui offrir un lieu net. Chinti pense que les mimiques dégoûtées de Shivnath sont fausses, et qu'il aime ça, au fond, plonger dans cette saleté, dans une souillure si dense qu'elle transperce toutes les peaux. C'est vrai : il a envie de maculer le bas de son pantalon de cotonnade blanche, toujours si propre, si bien repassé, si bien amidonné, de voir l'eau croupie le teindre de gris, puis de rentrer chez lui avec ces odeurs collées comme des bouches à sa peau pour lui rappeler qu'il peut s'en échapper. Qu'il a, lui, le choix. Ses portes à lui sont ouvertes. Il n'a qu'à tendre la main pour cueillir les fruits dont il a envie, y compris les plus pourris. La possibilité du choix : le grand pouvoir des hommes.

Chinti se met à l'observer avec le même désir que sa mère. Petit à petit, elle comprend qu'il est différent des autres hommes, qu'il n'est pas de la même espèce. Elle a envie de savoir qui il est, lui qui, de plus en plus, et contrairement aux autres mâles, semble si riche de mystères. Comprendre ce qu'il fait là, avec sa mère, leur exploration l'un de l'autre parmi les glaires et les humeurs des corps, sur ce matelas qui, malgré le drap propre, a gardé les miasmes des centaines d'autres passés par là. Comprendre cette obsession.

Oui, Shivnath n'est pas pareil. Il vient d'un autre monde. Il arrive et repart sans être contaminé par le malheur qui vit ici. Il n'est pas un chauffeur de touk-touk, ni un vendeur de thé, un éboueur, un balayeur des rues, ou l'un de ces marchands qui ont un étal non loin et sont un peu plus à l'aise que les autres mais traînent les mêmes envies. Il n'est pas un petit fonctionnaire grisâtre rasant les murs, et qui tremble en jouissant. Ni un policier venu réclamer son dû avec la suffisance de son bâton.

Elle finit par comprendre qui il est : un *swami* ! Chinti sait que ces hommes-là sont des hommes saints, qui parlent aux divinités et qui, peut-être, les commandent. Imaginer un homme qui dirige l'invisible la plonge dans la perplexité. Elle n'a connu ici que l'expression de ses maigres pouvoirs. Mais les hommes comme Shivnath n'obéissent à personne. Veena elle-même, malgré sa colère flamboyante, toujours présente, fait sa génuflexion devant lui comme devant une divinité. Est-il vraiment divin ? Mais alors, que fait-il ici ? Chinti ne comprend pas.

Que vient-il chercher, Shivnath, ici ? Décidément, Chinti ne comprend pas.

Oui, c'est vrai, Shivnath est un homme de dieu, un *swami*, un homme saint. Mais il est surtout un fin politique, un habile stratège, de ceux qui savent manipuler leurs ouailles, surtout les riches et les puissants, car c'est là d'où vient la manne.

Tous croyants, tous superstitieux, tous tentant de plier le sort à leurs envies et d'influencer ces astres qui nous guettent de leur œil mauvais pour obtenir la fortune qu'ils poursuivent avec la ténacité des chercheurs d'or. Shivnath a eu l'intelligence, très tôt, de faire des miracles grâce à des ruses de prestidigitateur et des tours de passe-passe. C'est d'abord la plèbe crédule qui s'est précipitée, bâtissant ainsi sa réputation d'homme qui murmure à l'oreille des dieux. Les plus aisés ont vite suivi. C'est ainsi qu'il a prédit qu'un politicien encore inconnu deviendrait ministre aux prochaines élections, et à un homme d'affaires dont les entreprises semblaient péricliter, qu'elles ne failliraient pas et qu'il réussirait même au-delà de ses espérances. Les deux prédictions se sont réalisées, et les deux hommes ont été persuadés que Shivnath était l'auteur de leur bonne fortune. À partir de là, tous les rêves étaient permis : le ministre serait Premier ministre, et l'homme d'affaires serait milliardaire. Ils avaient reçu la caution du ciel.

Était-ce par chance que Shivnath avait fait deux prédictions aussi justes ? Non. Shivnath ne se fie pas à la chance. Il a lu les journaux, écouté la riche rumeur des rues, suivi l'évolution de la popularité de l'un sur les réseaux sociaux et le cours des affaires de l'autre à la Bourse. Fort de ces informations, il a distillé ses conseils, semé des graines qui allaient germer, arrosé les espérances ainsi créées. Manipuler les hommes est une affaire de doigté : Shivnath n'a pas été surpris de son succès.

Ce qui au début n'était qu'un petit temple familial parmi les milliers de temples de cette ville du nord de l'Inde s'est mis à attirer de plus en plus de croyants. De politiciens et d'hommes d'affaires en puissance, le pays en regorge. Mais tous savent que la progression sociale dépend de l'intercession des hommes saints auprès des dieux : tout tient sur la corde raide du karma. Seuls les hommes comme Shivnath *peuvent.*

Le petit temple est devenu grand. Utilisant une savante rhétorique adaptée à notre époque vengeresse, Shivnath a rendu ses lettres de noblesse à Kali, la sanguinaire, en faisant d'elle la Défenseuse de l'Inde sacrée. Seule Kali, disait-il, peut nous protéger de nos ennemis ancestraux (comprenez les musulmans). Fouetter les mollassons n'est pas difficile si vous savez vous y prendre. Shivnath, lui, sait.

Il aurait pu, au vu de ses talents, se lancer lui-même dans la politique ou les affaires. Mais à quoi cela aurait-il servi ? Dans son temple, il jouit d'une aura qui dépasse de loin celle des hommes du commun. Il n'est pas soumis aux votes ; son pouvoir vient d'ailleurs : il vient de plus haut, *du* plus haut, et personne n'oserait le remettre en question. Il joue sa partition avec une finesse exquise, telle une araignée tissant une dentelle d'or.

Maintenant, il a un temple tout neuf, construit sur un terrain annexé grâce aux deniers des politiciens et des chefs d'entreprise qu'il a aidés à prospérer. Un temple dont les dômes, contrairement aux autres, plus anciens et faits de simple pierre, sont recouverts de feuilles de vermeil qui lui donnent un éclat solaire, visible de loin, sur la colline où il est perché. Un temple qui promet le paradis à un prix variable selon le client. Les statues des divinités sont vêtues de soie et de brocards. Comment peut-on voir l'immense statue de Kali située à l'entrée du temple, dans sa terrible splendeur de mangeuse d'homme, et ne pas à la fois la craindre et la vénérer ? Partout, l'œil est saisi par des visages de marbre, sereins, féroces ou inhumains, des ornements qui coûtent le salaire annuel de la plupart des fidèles, des bijoux qui scintillent si fort sous le soleil que ceux qui les regardent pleurent, éblouis, se croyant saisis par la grâce. Ces signes de richesse vulgaires représentent le summum de leurs rêves : le nirvana moderne est revêtu de feuils d'or et l'on y marche sur des billets de banque. Pour cette raison, le temple de Shivnath, dans sa laideur de parvenu, est résolument dans l'air du temps, et attire davantage la populace facilement bernée que les austères temples faits de pierre brute.

Le clou de l'ouvrage, c'est une pièce intérieure tapissée de tentures argentées et percée de puits de lumière stratégiquement placés pour que le soleil y pénètre avec le maximum d'intensité. Au centre, pas une divinité ; pas de Krishna, de Vishnou, d'Hanuman, de Shiva ou de Rama ; pas de Durga, de Lakshmi, de Sita ni même de Kali : mais un homme, assis à un bureau devant un ordinateur, tenant dans sa main un téléphone portable, avec derrière lui un grand lit à baldaquin. Tout cela en marbre plaqué or. L'homme lui-même est revêtu de soie lamée. L'ordinateur est un facsimilé parfait. Le téléphone, lui, est un vrai. Nul ne sait s'il fonctionne encore.

Et c'est lui, c'est bien lui, Shivnath, qui y est représenté, travaillant avec une mine concentrée, le poids du monde sur ses épaules. Le sculpteur est parvenu à donner à la statue une ressemblance saisissante avec son modèle, mais il lui a aussi conféré une grandeur et une profondeur mystiques qui en font l'égal des divinités présentes dans le temple. Le pli du front indique sa préoccupation quant au sort de ses fidèles ; l'ordinateur et le téléphone témoignent de sa présence dans le monde moderne. Le lit soigneusement fait montre qu'il dort peu parce qu'il se dépense beaucoup.

Cette chambre est l'objet de la fascination de tous. Comme un écrin secret à l'intérieur du temple, elle dit aux communs des mortels que chacun peut se hausser au rang de divinité, pourvu qu'on ait passé plusieurs vies à se perfectionner (ou que l'on soit devenu une star absolue de Bollywood). Nul doute que Shivnath est parvenu au bout du long cycle des réincarnations : il représente l'apogée d'une glorieuse humanité. Ou sa déchéance ultime.

Grâce à cette pièce, à cet écrin précieux, Shivnath est parvenu à se diviniser de son propre vivant sans que cela choque qui que ce soit. Au contraire, les croyants se prosternent aussi volontiers devant sa statue que devant celle des autres. D'ailleurs, la religion hindoue a depuis toujours été une religion inclusive, syncrétique, prête à accepter tous les prophètes et les saints et à leur faire une place dans sa hiérarchie infiniment complexe. Il y a, après tout, des divinités pour tout : le soleil, la lune, les champs, le riz, le blé, les animaux, les guêpes, la variole, la pluie et ainsi de suite. Et puis aussi Bouddha, Mohammed, le Christ (mais on n'en parle plus trop de nos jours pour ne pas trop brouiller les lignes). Alors, pourquoi pas Shivnath ? s'est dit Shivnath en construisant son temple. Son nom lui-même signifie « serviteur de Shiva ». C'est suffisant pour lui donner une place dans ce panthéon. Ça aussi, les croyants l'ont parfaitement compris.

La présence de ce temple est un signe, non seulement de leur foi, mais également de la place de la religion dans leur quartier où l'on trouve à la fois des hindous et des musulmans. Dans un pays où l'hindouisme est devenu une revendication de plus en plus violente plutôt qu'un conformisme passif, rien de tout cela ne peut être laissé au hasard. Le temple de Shivnath est un phare qui indique à tous la voie à suivre, l'étendard à porter. Ce temple est le signe du pouvoir croissant et du terrain gagné chaque jour par un fondamentalisme nourri par le pouvoir politique. Si un appel à la guerre religieuse était lancé, personne ne s'en étonnerait : tous y répondraient.

Lorsque Shivnath visite le quartier des prostituées, il le fait ouvertement. C'est la meilleure tactique. C'est, annonce-t-il, pour les inviter à suivre une autre voie, une voie de lumière. Pour les racheter, leur apporter la consolation de l'éternité. Qu'il disparaisse longuement derrière les portes en tôle ou les rideaux de plastique n'émeut guère ceux qui le reconnaissent : tout le monde sait que l'âme de ces femmes perdues ne se rachètera pas aussi facilement. C'est, pensent-ils, le sacrifice qu'un véritable homme de dieu doit s'imposer pour mener à bien sa mission. Il suit, dit-il, l'exemple de Gandhi, qui dormait nu entre ses deux jeunes nièces pour prouver son abstinence (on ne sait pas ce qu'en pensait la femme du Mahatma, Kasturba).

Les femmes de la Ruelle, elles, connaissent évidemment la vérité, mais qui les écouterait ? Et pourquoi risqueraient-elles de perdre un client de choix en révélant ses véritables motifs ? Elles gardent les commérages et les moqueries pour ces moments où elles se retrouvent autour d'un verre de thé sucré ou d'alcool, et où elles peuvent rire du grand homme en décrivant son corps pâle comme un *chapati* mal cuit ou une chair de porc crue, et puis comment il pète au moment d'éjaculer, plus il jouit fort, plus il pète fort, une trompette claironnant sa réussite, un chant de gloire aux divinités, un pet à l'odeur d'encens mâtiné du *dhal* de la veille, grâce auquel il pourra défoncer les portes du nirvana ! À force de s'esclaffer leur ventre fait mal. Nous sommes les seules à lui faire entendre la voix des dieux ! clament-elles, hilares.

Oh, ce rire ! C'est lui qui les reconstruit et les rassemble, ce rire de la colère et de la nuit, des rêves détruits et des espoirs amputés : il est leur seul pouvoir.

Et, Shivnath, s'il savait ! Pas de risque, il vit sur son nuage divin, son nuage d'or et d'encens, et oublie ces femmes dès qu'il les a quittées pour retourner avec encore plus d'allégresse, le cœur et le corps légers, à ses affaires. Vite, il va contempler sa statue, récompense de sa longue journée. Il frissonne de joie et d'orgueil, autant que d'une certaine crainte cachée, celle d'avoir été trop loin. Cela dit, l'idée d'une transgression n'est pas pour lui déplaire.

Puis, quelque mouton destiné à l'abattoir des dieux vient se prosterner devant sa statue et déposer devant elle un plateau de fleurs, de fruits, de camphre et de billets de banque, et lui touche les pieds pour qu'il lui offre sa bénédiction. Alors les trompettes dans sa tête sont si glorieuses qu'il en oublie toutes ses craintes.

Chinti, à dix ans, est toujours à l'aise entre les murs de la maison, comme dans un corps aux mille secrets. Elle aime observer les femmes en cachette, tandis qu'elles dorment ou s'habillent, se lavent ou se maquillent. C'est son théâtre personnel. Dans leur espace exigu, chacune se crée un monde, avec des photos d'acteurs, des images pieuses ou des colifichets. Pas de photos de famille : toutes sont mortes pour leurs familles et inversement. Même si les souvenirs de ce passé qu'elles dissimulent soigneusement sous les plis de leurs vêtements, ce passé de tombes et de regrets, de trahisons et de rejets, résistent encore. Car comment faire face à ce qu'elles sont ? Si elles parviennent parfois à abolir l'absence et, surtout, le grand vide de demain, les rares instants où elles sont livrées, corps alanguis, à elles-mêmes, rien ne peut les protéger de la brûlure de la mémoire ni du poids de leur lucidité.

Où pourraient-elles trouver une quelconque consolation ? Dans les murs qui larmoient ou les quelques billets de banque qu'elles cachent sous une brique ? Ou bien dans ces yeux qui leur lancent leur propre impuissance au visage comme un jet d'acide ? Laissez-moi rire. Ce pays a trop de tout ; d'hommes, de femmes, d'enfants, de pauvres, de faibles, d'animaux, d'insectes, de tristesses, de mémoires, d'histoires, d'illusions. Long fleuve de corps abandonnés, rendus inutiles par cet inconcevable excès : tout y existe et tout y est détruit. Tout y est donc dispensable. Les douleurs ont les mains fermées sur les chevilles et tirent, tirent encore, sachant qu'un jour elles lâcheront prise.

Pas les femmes de la Ruelle. Elles sont tellement habituées à lutter, encaisser, se relever, et encaisser encore, qu'endurer leur semble normal. L'ordre immuable, celui contre lequel on ne se rebelle pas. Ce qui importe, c'est de se relever, peut-être une dernière fois. Au lieu de se laisser aller à réfléchir, elles lavent donc leurs longs cheveux, les font sécher au soleil et les démêlent soigneusement, se mettent du vernis à ongles fuchsia sur les orteils, ravaudent leurs blouses élimées, contemplent les voiles et les saris qu'elles préfèrent, parce que tout cela fait partie des bonheurs permis, des petits plaisirs qu'il leur est encore possible de savourer et qui leur font oublier leurs peaux usées, entaillées, mille fois recousues.

Chinti les regarde et tente de comprendre, de décoder le langage de leur corps, de leur regard. Elle sait que ce qui sort de leur bouche est mensonger : elles ne disent jamais ce qu'elles pensent. Mais la vérité surgit dans la courbure d'une nuque, la dérobade d'un œil sombre, l'incertitude d'une bouche, le soupir qui ne se délivre qu'à moitié. La vérité est dans la bouteille de faux whisky, presque de l'alcool pur, teint d'un colorant ambré, qui se vide lentement à côté du lit. La vérité est dans le murmure qui sort alors de leur gorge, comme un chant ignoré, une harmonie brisée.

Chinti finit par les connaître mieux qu'elle-même et certainement mieux que sa mère. Elle les comprend sans qu'elles aient besoin de prononcer un mot. Elles aussi sont conscientes d'elle. Elles connaissent l'origine des crissements et des frottements dans les cloisons. Elles se sentent presque consolées par ce regard curieux qui les observe sans rien demander en retour. Elles savent comme elle retient son souffle lorsqu'elles se maquillent, lorsqu'elles tracent le trait précis du khôl au-dessus de la paupière et posent le *bindi* juste au centre du front, puis ourlent leur bouche du pourpre de raisins mûrs. Comme elle cache un rire lorsqu'elles se regardent nues dans leur miroir brisé, prenant des poses de star pour l'amuser. Un sourire alors naît dans leurs propres yeux, leurs yeux si fatigués, ce regard de crépuscule mourant éclairé par l'étoile Chinti. Quand elles ont enfin droit au sommeil, elles chantonnent, d'une voix abîmée par les mauvaises cigarettes et l'alcool, des berceuses presque oubliées pour endormir Chinti et la garder un peu plus longtemps auprès d'elles, dans un petit coin de tendresse.

Plongées dans ce sommeil trop proche de la mort pour être du repos, elles se laissent aller à murmurer leur histoire, à confier à ce cœur encore neuf des choses qu'elles n'ont racontées à personne, sachant son écoute pure, son esprit sans jugement. Chinti est celle qui reçoit leur peine et qui l'allège, et elles ne se doutent pas qu'elles lui révèlent bien plus que leur histoire : elles lui dévoilent leur être profond, leur nature vraie sous l'armure qu'elles se sont façonnée depuis si longtemps qu'elles ne savent même plus qu'elles la portent. Elles se montrent nues, jusqu'à l'étincelle qui refuse de s'éteindre tout au fond de leur ventre, et que Chinti reçoit comme un miracle.

On ne sait pas de quoi leurs rêves sont faits. Doux ou terribles, ils sont toujours des pièges : soit une illusion dissipée au réveil avec son goût de cendre, soit une plongée encore plus profonde dans le cauchemar du jour. Mais lorsqu'elles perçoivent la présence de Chinti, une autre musique se fait entendre : son rire d'enfant qui triomphe de toutes les peurs, vient à bout de toutes les tristesses.

Ris, Chinti, ris et sauve-nous de nous-mêmes, ne fût-ce qu'un instant, libère en nous ce cœur broyé, ouvre-nous les pages d'un monde neuf, Chinti, ô Chinti…

Ris, Chinti, parce que nos rires n'ont plus rien de vrai.

Ris encore.

Et encore.

Au réveil, elles ne se souviendront plus de rien. Mais en voyant Chinti, leur cœur flanche de tendresse et trébuche.

En grandissant, la fourmi se met à leur rendre de menus services : leur acheter des cigarettes, des bouteilles d'alcool ou des beignets ; leur teindre les pieds et les mains au henné (avec quelle habileté ses petits doigts dessinent les entrelacs et les arabesques qui couvrent leur paume et leur pied de dentelle !) ; démêler et coiffer leur chevelure ; les faire rire en faisant le pitre. En retour elle reçoit quelques pièces qu'elle garde dans une boîte dans son trou de souris, ou une brève étreinte contre un corps qui sent encore bon, malgré la sueur et le musc, ou un baiser furtif au sommet de la tête. Toutes choses que Veena ne lui offre jamais. Les autres femmes de la Ruelle deviennent ainsi des mères de substitution ; ou peut-être est-ce Chinti qui finit par devenir leur ange gardien ? Qu'importe. L'obscurité qui les entoure se dissipe à son passage. C'est pour cela qu'elles l'aiment.

À toute communauté, il faut une mascotte. Chinti sera la leur. Mais plus que cela. Une sorte… oserait-on prononcer, ici, ce mot ? Oserait-on franchir cette barrière ? Une sorte d'espoir inopiné. Ce n'est pas qu'elles se leurrent, non. Elles savent qu'il n'y a rien pour elles au-delà de la Ruelle et de leur vie. Elles qui n'ont pas d'enfants, ou alors savent qu'ils sont voués à la même existence, elles voient en cette petite, cette Chinti, une autre possibilité ; une autre voie.

L'espoir leur est peut-être interdit, mais pas à elle. Pas à elle, demandent-elles aux divinités qui règnent, indifférentes, sur leurs rêves. Il n'y a qu'à voir ses yeux, ils contiennent tant de délicieuse malice, et sa bouche frémissant entre sourire et pleur, et ce silence secret qui l'habille d'une lueur si fragile : elle ne doit pas, non, elle ne doit pas devenir ce qu'elles sont, elles feront tout pour que cela n'arrive pas, même si elles doivent fracasser le ciel pour que Chinti puisse s'envoler.

Aussi, les femmes de la Ruelle passent leur temps libre à l'attirer de leurs chants, de leurs voix, de leurs histoires. On dirait qu'elles veulent la bercer de leurs illusions percées. Et Chinti se laisse faire. Elle a faim de tendresse.

Sa grande amie, c'est Bholi, celle qu'on dit demeurée. Bholi et Chinti se ressemblent. Elles ne sont pas stupides, juste trop malignes pour se dévoiler. Au lieu de parler, Bholi se contente de chuchoter. À Chinti, et à elle seule, elle raconte son passé. Et surtout son amour des choses brillantes. C'est ce qui l'a fait suivre cet homme, un jour, ce mendiant qui avait dans les yeux une étincelle d'or.

Les jours de fête, Bholi porte de grandes barrettes en forme de papillon dans ses cheveux. Ces barrettes, personne ne sait d'où elle les tient. Elle dit qu'un bel homme les lui a un jour offertes. Un acteur de cinéma, précise-t-elle. Personne n'y croit, mais on lui autorise ses fantasmes. Ravissantes, nacrées, colorées, finement détaillées, elles sont le plus grand trésor de Bholi. Le soir de Divali, quand la Ruelle et le quartier se parent de lampions et de mille lumières et que l'odeur des friandises triomphe de celle des ordures, elle revêt sa plus belle tenue, d'un jaune si éclatant qu'il la fait briller elle aussi comme un lampion. Elle défait sa natte, soulève deux mèches et les retient avec ses barrettes-papillon. Lorsqu'elle se regarde dans le miroir, elle voit autre chose que la maigrichonne au front bas et à la bouche demi-ouverte dont tout le monde se moque. Elle voit une jeune femme au regard doux, résolue, parée de couleurs rutilantes. Une femme qui n'a pas besoin d'appliquer sur son visage des couches et des couches d'un maquillage éclaircissant (qui, elle le sait, rend la peau grisâtre et la dévore lentement). Qui n'a pas besoin de porter des *cholis* trop décolletés sous son sari ni d'exhiber ses jambes. Bref une femme normale, qui pourrait être une employée de bureau ou une vendeuse de magasin ou une serveuse dans un restaurant (c'est-à-dire tout, sauf ce qu'elle est). Mais, malgré ce que lui dit son regard, son métier est inscrit sur sa peau comme un tatouage. Sa manière de marcher, de s'asseoir, de regarder les hommes, de rire, tout cela l'identifie aussi sûrement que si elle avait été marquée au fer rouge. Elle ne peut s'en départir, même lorsqu'elle va faire des courses : la poitrine en avant, le rire qui découvre trop de dents, les hanches qui oscillent, et voilà que les femmes normales la fusillent du regard et que les hommes la scrutent avec insolence. Des automatismes qu'on lui a inculqués dès son arrivée ici, et sans lesquels les clients ne viendraient pas.

Bholi sait qu'elle ne peut pas disparaître. Alors, lorsque le client est ferré, elle s'efface par le silence et une sorte de vacance, afin qu'aucun homme n'ait envie de s'attarder, même si cela lui fait perdre de l'argent. Être fonctionnelle, c'est tout ; des trous pour assouvir leurs envies, oui, mais pas une personne, pas un être de pensée et de rêves, pas une femme qui pourrait un jour s'envoler à l'aube avec les oiseaux et retrouver la clarté du ciel de son village, sa pureté. Un assemblage de trous, et oubliez mon visage, surtout, afin que vous ne me reconnaissiez pas ailleurs, oubliez qui je suis, que je suis. Bouche, vagin, cul, l'un ou l'autre ou une combinaison des trois, comme vous le souhaitez, dans n'importe quel ordre, selon votre désir, ou en même temps, si telle est votre volonté, mais inaccessible. Car quand j'enlève mes vêtements et qu'un bout de mon sari ou de mon voile me recouvre le visage, quand mes yeux sont fixés sur tout ce qui vous est invisible, vous ne pourrez pas savoir qui je suis, que je suis.

On ne s'échappe pas aussi facilement, Bholi, du chemin de l'inespoir. Parce qu'ils ont payé pour cette heure, aucune miette ne leur est interdite. Chair vendue et revendue, mais pas seulement la chair, cheveux, ongles, os, chaque parcelle leur appartient, et aussi ce qui se trouve au-dessous, la peur, l'espoir, l'attente, l'horreur, et ce qu'il y a encore dessous, la toute petite fille craintive qui se cache sous sa peau et se veut invisible, tout cela tout cela est à eux, puisqu'ils ont payé pour cette heure. Ils ont payé pour cette heure où nous sommes dans la pure inexistence des choses, dans cette fragilité où nous ne savons pas si tout à l'heure nous serons vivantes encore, entières encore, capables de marcher ou de parler, et si nous reconnaîtrons notre propre visage dans le noir.

Mais Bholi tient bon. Les jours sans hommes, elle se met des papillons dans les cheveux et danse dans la Ruelle en oubliant qui elle est, sachant seulement qu'elle est. Sous la pluie ou dans la chaleur qui huile ses flancs, les cheveux mouillés ou ondulant libres autour de son visage, elle se permet de rire et d'oublier, de remiser le temps dans un coin de sa mémoire, et elle devient, non l'idiote à la bouche ouverte et aux yeux morts, mais un être fluorescent, plein de couleurs, orné de papillons, un peu magique, un peu fée.

Si ce n'est qu'un jour, Bholi ouvre la boîte en carton où elle garde ses trésors, et ses papillons ne sont plus là. Elle cherche partout dans l'espace étroit qui lui est alloué, mais ils ont disparu. Ce vide, cette absence, plus que les sévices qu'elle a connus, plus que le malheur de sa naissance, lui font perdre tout contrôle. Elle hurle, jette le reste de ses trésors au sol, les piétine, s'arrache les cheveux, se roule par terre et hurle encore. Les autres femmes accourent, persuadées qu'elle est en train d'être tuée par un homme ou qu'elle a été piquée par un serpent. Mais lorsqu'elles parviennent à la maîtriser, tout ce qu'elle peut dire tient en deux mots : *mes papillons*...

Alors, le regard de Bholi se fixe sur une obscurité qu'elle avait jusqu'ici refusée, repoussée par la seule force de son corps maigre, de son esprit frondeur, de sa foi en la beauté. La lumière des papillons est désormais éteinte et elle voit clairement le reste de sa vie ici, dans cette laideur claustrée, parmi le tumulte des corps et des voix. Sa lèvre inférieure retombe, comme sans attache ; une goutte de salive s'y suspend.

Laissons-la, la pauvre demeurée, murmurent les femmes, le cœur soudain tenté par la compassion.

— Pourquoi tu pleures ? demande Veena.

Chinti tremble. Sans bruit, les larmes coulent, silencieuse violence.

— Mais pourquoi tu pleures ?

Bholi s'est pendue.

À cause de ses papillons perdus.

Chinti aime Bholi, mais elle aime aussi les papillons. Elle a seulement voulu les emprunter pour quelques jours, comme s'ils étaient à elle, comme si elle aussi possédait un bijou qui la rendrait belle les jours de fête, belle et insouciante et rieuse. Elle ne savait pas. Que ces papillons étaient la seule chose qui gardait Bholi en vie. Qu'ils *étaient* sa vie. Que sans eux, elle mourrait.

Dans sa tanière, Chinti regarde les papillons. Elle ne sait pas quoi faire. Elle ne peut pas les jeter, puisqu'elle les aime. Elle ne peut pas les ramener dans la chambre de Bholi, puisque sa cellule, après qu'on a enlevé le corps pendu à une écharpe dont les paillettes d'or se sont répandues autour d'elle en une belle constellation (tout chez Bholi brille, même la mort), appartient désormais à une autre. Les garder sans pouvoir les porter ? Cela servirait à quoi ?

Alors Chinti pleure, persuadée qu'elle a tué Bholi. Que l'âme de celle-ci s'est réfugiée dans les papillons et foudroiera Chinti aussitôt qu'elle les portera.

— Pourquoi tu pleures ? crie Veena après trois jours où elle n'a rien mangé.

Chinti est une loque minuscule. Veena ne comprend pas. Elle la repousse sans ménagement dans son nid, derrière la cloison, mais le pli entre ses sourcils ne s'efface pas. Ce chagrin inconnu la trouble.

Ce soir-là, Shivnath, une fois assouvi, prend le temps de regarder Veena.

— Qu'est-ce qui ne va pas ? demande-t-il. Je ne t'ai pas satisfaite ? (Ceci avec ironie, car il n'est pas là pour la satisfaire.)

Veena secoue la tête, préoccupée. L'esprit ailleurs, elle se ronge un ongle. Elle s'apprête à se lever du lit, mais Shivnath la retient.

— Dis-moi, ordonne-t-il.

On ne désobéit pas à un Shivnath.

— C'est la petite, ma fille, dit Veena. Depuis que Bholi s'est pendue, elle n'arrête pas de pleurer. Comme si c'était elle, sa mère !

Cette dernière exclamation est involontaire. Veena ne soupçonnait pas sa propre jalousie.

— Bholi… la retardée ? demande Shivnath.

— Elle n'est pas, n'était pas retardée, juste silencieuse.

— Pour un enfant, le suicide d'un proche est une tragédie, affirme Shivnath. Appelle-la. Je vais lui parler.

Veena, interloquée, regarde Shivnath.

— Vous voulez lui parler ? Pour quoi faire ? Elle n'est rien.

— Je suis un *swami*, ma fille. C'est mon rôle de consoler et d'expliquer la vie.

Veena hésite, mais le regard de Shivnath se durcit. Elle n'a pas le choix : elle va chercher Chinti dans son trou et l'amène, son petit être morveux et malodorant, avec un peu de honte.

Shivnath observe l'enfant aux yeux immenses, aux larmes immenses. Son corps, ses os, sa masse de cheveux que la malnutrition et la saleté ont teints de rouge, sa bouche de chagrin, le frémissement des sanglots. Un frisson le parcourt ; surtout au bas de son abdomen.

— Viens ici, enfant.

Chinti s'approche. Shivnath la prend par le bras et, malgré son odeur, ou peut-être à cause d'elle, l'attire sur ses genoux. Elle s'assied sur la cuisse puissante de l'homme de dieu.

Et voilà que cette cuisse se met à trembler. Shivnath pâlit. Qu'est-ce qui le fait ainsi tressaillir ? À l'endroit que chaque femelle réveille, là où sa puissance d'homme est souveraine, certes, mais également ailleurs, plus haut, dans sa poitrine, il croit reconnaître un sentiment depuis longtemps oublié : la tendresse. Il caresse les cheveux de l'enfant, soulève le visage. Larmes étoiles, chagrin mouillé. Dieux, a-t-il jamais contemplé une chose aussi émouvante ? Toute cette confiance dans ce regard levé vers lui. Une telle fragilité ! Malléable poupée de chiffon… Il touche le visage de l'enfant, suit du doigt la joue si lisse.

— Tu pourrais la garder propre, dit-il à Veena, qui fulmine de le voir contempler ainsi sa fille. C'est une enfant, elle n'est pas responsable des péchés de sa mère. La prochaine fois que je viens, je veux la voir lavée et convenablement vêtue, pas en haillons.

À Chinti, il murmure :

— Je sais que tu es triste, ma pauvre petite. Mais Tonton Shivnath va t'apporter des cadeaux la prochaine fois. Que voudrais-tu ?

Chinti le regarde droit dans les yeux :

— Bholi, dit-elle.

Shivnath éclate de rire.

— Je suis un *swami*, dit-il, pas Dieu ! Je ne peux pas rendre la vie à ta Bholi. Elle est sans doute plus heureuse là où elle est. Mais de ce lieu, elle te voit, et elle ne voudrait pas te voir pleurer, tu ne crois pas ?

Chinti secoue la tête. Bholi aimait les rires, pas les larmes.

— Donc, chère petite, si tu veux penser à Bholi, pense à elle en souriant, pas en pleurant. C'est ainsi qu'elle sera consolée.

— Et si j'ai fait quelque chose qui lui a fait du mal ? demande Chinti, presque avec désespoir.

— Bholi te pardonnera. Là où elle est, elle peut comprendre qu'un petit enfant est toujours innocent du mal qu'il commet. Ce n'est qu'en grandissant qu'on commet le mal sciemment, et c'est seulement là qu'on a besoin d'être puni. Pas avant. Tu comprends ? Pas avant.

Ces paroles sont comme un éclair dans la tête de Chinti. Shivnath a ouvert une porte, desserré les chaînes autour d'elle. D'un seul coup, elle est libérée du poids de sa culpabilité. Pour elle, c'est un miracle.

Alors, elle lève le visage vers Shivnath et lui sourit.

Ce don interrompt les battements du cœur de l'homme.

Ni elle ni lui n'entend le grincement des dents de Veena.

Kali est notre part sauvage, l'obscurité en nous que nous craignons tant. Elle transperce nos vies pour faire couler nos maux et nos espoirs et nos poisons en ruisseaux de sang. Kali est la Mère, la Mort, le Temps, le Noir, la Colère, l'Effroi. Kali est l'amour destructeur.

Disent les livres sacrés.

Bref, elle est tout et son contraire, ce qui est bien pratique, ça nous laisse libres de la comprendre selon nos envies, avec une totale liberté d'exégèse. Ce qui fait que bien des crimes sont commis en son nom (y compris dans les films). Aujourd'hui, Kali est devenue une divinité comme une autre, un prétexte, soyons francs, un symbole qui rassemble les imbéciles et permet de maîtriser les foules.

Shivnath ne croit pas vraiment en Kali. Il a hérité sa fonction de prêtre de son père qui, lui, était fervent adorateur de cette déesse dévoreuse de chairs qui porte autour du cou un collier fait de têtes d'homme coupées et autour des hanches une jupette faite de bras tranchés.

Shivnath a su toutefois tirer profit de son héritage : il s'est construit un empire. Toutes ses ouailles, dit-il, sont les enfants de Kali. Toutes, y compris les prostituées qui pullulent dans son quartier. Quand elles viennent au temple et que les autres croyants les regardent d'un œil mauvais, il ouvre grand les bras pour les accueillir. Elles sont ses héritières, dit-il, victimes de la société qui les vilipende. Son devoir est de les ramener dans la voie de Kali. Leur rachat est sa plus grande victoire.

La logique est fumeuse. Si cela était vrai, si elles étaient ses héritières, n'auraient-elles pas aussi sa capacité de destruction, et n'auraient-elles pas dû, depuis longtemps, foudroyer ceux qui les ont condamnées avant même qu'elles naissent ? Si cela était vrai n'auraient-elles pas dû annihiler ceux qui, chaque jour de chaque année de leur existence, les broient et les enterrent ?

Ah, je me le demande parfois : que se serait-il passé si elles avaient vraiment été les filles de Kali ? Imaginez un seul instant que cette déesse toute-puissante se manifeste à chaque fois que les femmes sont abusées des mille façons inventées dans ce pays d'excès et de dérives, dans ce pays où l'homme est la seule vraie religion et les femmes ses adoratrices subjuguées ! Il suffit qu'une femme soit seule sur un chemin mal éclairé, un soir, pour qu'elle ne soit plus qu'un corps offert. Ministre, femme d'affaires, médecin, enseignante, millionnaire ou villageoise intouchable, peu importe ce que tu es : la nuit, toutes les femmes sont chair. Corps offert en pâture. Hélas ! la religion a beau placer les femmes près des hommes, Shakti aux côtés de Shiva, Lakshmi aux côtés de Vishnou, parler de l'équilibre cosmique du *yoni* et du *lingam*, toutes ces conneries, à la fin, ne veulent rien dire, car c'est le *lingam*, le phallus de Shiva, sa puissance créatrice, le grand procréateur de l'univers, qui règne en maître absolu des destinées. Personne n'érige de temples à la seule gloire du vagin. Mais le sexe de Shiva, lui, se dresse, triomphal, dans toute l'Inde, des plus grands temples aux coins paumés de la campagne, où il suffit d'une pierre judicieusement formée ou taillée, dressée, haute et phallique, pour que toute l'Inde se prosterne devant elle.

À Kanchipuram, dans le sud de l'Inde, une longue salle d'un temple ancien est entièrement dédiée aux multiples représentations de la verge. Elles ne sont pas toutes biologiquement conformes, bien sûr, mais personne n'a de doute quant à ce que ces pierres, noires, blanches, grises, oblongues et arrondies, représentent. Les genoux des croyants ont creusé de petits renfoncements sur le sol de pierre devant chaque sexe. Que de génuflexions il a fallu, depuis des siècles, pour que la pierre soit ainsi usée ! Même les femmes de quatre-vingt-dix ans s'agenouillent devant le dieu sexe : minuscules, gigantesques, maigres, longues, grasses, toutes les verges sont là. Cette salle vieille de huit siècles, où l'on se prosterne devant le sexe masculin, est bien la preuve de sa suprématie. Le sexe de l'homme règne sans partage sur le monde. Aujourd'hui encore, le silence des femmes est une génuflexion forcée devant le *lingam* vénéré.

Et je le dis en connaissance de cause.

Shivnath n'est finalement qu'un exemple, assez parlant, certes, puisqu'investi d'un pouvoir temporel et spirituel absolu, de ce règne millénaire. Alors, dites-moi, que peuvent faire les pauvres *filles de Kali*, face à cela ?

Cela dit, l'armure de cet homme n'est pas sans failles. Shivnath en a désormais une : Chinti.

Jamais, jusqu'ici, il n'a été jusqu'à violer une enfant. À partir de quatorze ans, oui, pense-t-il, elles ont l'âge de raison et leur corps est suffisamment développé pour qu'elles sachent s'en servir : elles ont l'âge du péché qui les suit depuis la création (dans la plupart des religions la chute de l'être humain ne vient-elle pas de ce corps objet de tentation ?). Mais avant la puberté, il est convaincu de leur innocence. Même lui ne peut s'imaginer avoir des relations sexuelles avec un enfant non pubère.

Mais depuis que Chinti s'est assise sur ses genoux, son souvenir ne le quitte plus. Comment quelque chose d'aussi léger, dont il a à peine senti la consistance sur sa cuisse, a-t-il pu le bouleverser aussi profondément ? Encore maintenant, alors qu'il est en plein milieu d'un prêche, une part de son cerveau continue de penser à elle, et son corps réagit aussitôt. Tandis qu'il exhorte ses fidèles à suivre le jeûne, l'abstinence et le respect strict des préceptes religieux, son sexe, sous son *dhoti* de coton blanc, heureusement ample et capable de dissimuler ses réactions intempestives, esquisse une joyeuse sarabande. Il sait que ni Veena ni aucune autre femme de la Ruelle, de la ville ou du pays, ne pourra assouvir cette nouvelle faim. Chinti, Chinti, Chinti… La petite fille au nom de fourmi, aux grands yeux pleureurs, rieurs, elle est la seule, ô dieux, s'il le pouvait –

Vite, Shivnath se reprend et s'empêche d'imaginer ce qu'il lui ferait. Il poursuit son homélie, observe, méprisant, les regards adorateurs fixés sur lui. Il aurait pu leur dire la vérité, pour une fois : que l'homme, depuis toujours, est condamné. Que rien ne peut le racheter. Que la raison qui le différencie des autres animaux n'a fait que le rendre délibérément mauvais et cruel, et que ce que nous appelons conscience n'est qu'un mot, rien de plus. Il est si facile de l'ignorer ! On croit obéir à ses principes, mais seulement tant qu'on n'est pas soumis aux tentations. Et ce ne sont pas les tentations qui manquent ! Ni les prétextes pour donner son congé à la moralité.

C'est ainsi que Shivnath apaise sa culpabilité, qu'il se console d'être plus mauvais qu'il ne l'aurait dû et de ne pas en être particulièrement troublé. C'est ainsi qu'il se donne la permission de rêver, le soir venu, à Chinti et à son petit corps fragile, à ses yeux orageux et à sa bouche, à ses mains et ses jambes écartées.

Tu es fille de Kali.

Et il s'endort dans cette odeur d'enfant, d'encens et de *dhal* frelaté.

Après tout, sommes-nous vraiment responsables de nos songes ?

Veena s'aperçoit bientôt de la distraction de Shivnath. Dès qu'il arrive, ses yeux, au lieu de se poser sur elle, scrutent les recoins. Lorsqu'elle se déshabille, lentement, comme il le souhaite, il sue, mais pas pour elle. Elle sait où va son regard : vers la cloison de contre-plaqué. Vers Chinti, derrière. Vers Chinti, retranchée, recroquevillée ; mais à l'abri. Pour l'instant.

Entre la volonté de protéger sa fille et cette farouche indépendance qui lui dicte de renier tous les liens, surtout ceux qui l'affaiblissent, Veena est déchirée. Mais une chose est sûre : jamais les mains de Shivnath ne se poseront sur le corps de Chinti.

Jusqu'ici, elle a toujours su ignorer ses propres sentiments, puisqu'ils ne lui servent à rien. Mais lorsque Shivnath a posé les yeux sur Chinti, il y a eu en elle un bouleversement impossible à ignorer : l'horreur de s'imaginer que. Elle n'en dort plus. Elle couve Chinti du regard. Cette chose-là est à elle, à elle seule. Son ventre se gonfle, elle a envie de vomir, envie d'emmurer Chinti pour de bon, de s'emmurer avec, tout pour la soustraire à ce regard, à cette bouche, à ces mains, à ce –

Veena déploie des talents insoupçonnés de séduction (jusqu'à parfois sombrer dans l'absurde).

Voici, dit-elle, mon cul incomparable et l'orage de mes seins, voici ma danse d'extase en *slow motion*, pur Bollywood, la moulure du sari sur mon corps nu, mes mains savantes, ma langue habile, ô Shivnath, je peux encore attiser ton feu et te ramener dans le berceau de mes cuisses et t'y enserrer, t'y enterrer jusqu'à, jusqu'à…

Avant que le chant du corps se termine, Shivnath se saisit d'elle, arrache le sari fragile et la prend sans ménagement. Elle sourit au milieu de ses cris exagérés : elle a réussi à gagner un jour de plus. Mais pour combien de temps encore ?

Chinti, l'œil collé à la fente, regarde, ahurie, sa mère se démener comme une diablesse. Dans son réduit étroit, elle se met debout et commence, elle aussi, à danser. Elle s'imagine diablesse et déesse à la fois. Parfois, il n'y a pas de différence entre les deux. Contrairement à sa mère qui ressemble à une chèvre boiteuse, Chinti a une grâce instinctive et une délicatesse qui sied aux musiques qu'elle entend dans sa tête. Même les souris sont subjuguées. Chinti sait que si elle danse pour Shivnath, il n'aura pas l'air vaguement alléché et distrait comme lorsqu'il regarde Veena : il n'aura d'yeux que pour elle.

Un jour, elle rassemble son courage et demande à Janice de la regarder danser. Celle-ci, amusée, la laisse faire. Mais petit à petit, son expression change. Elle la saisit par les épaules, interrompant son envol.

— Reste dans ton abri, Chinti, lui dit-elle avec une brusquerie inhabituelle. Reste invisible. Surtout, surtout, ne t'avise pas de danser pour les hommes. Ils ne le méritent pas. Danse pour toi, si tu veux, derrière ta cloison. Mais pour toi seule et personne d'autre. Reste invisible !

Chinti est effondrée. Elle ne comprend pas les mots de Janice, pas plus que les sautes d'humeur de Veena, ou l'œil de la maquerelle qui pétille et larmoie lorsqu'il se pose sur elle. Soudain, la vieille femme est emplie de caresses pour la fourmi qu'elle a soigneusement ignorée jusqu'ici. Elle la caresse et la déshabille du regard. Elle lui offre des vieilleries et des objets dont elle ne se sert plus. Chinti aurait été ravie s'il n'y avait ce poison glissé dans son regard.

Désormais, Shivnath insiste pour voir Chinti. Il veut, dit-il, s'assurer qu'elle est bien nourrie et décemment vêtue. Veena n'a pas le choix. Elle est obligée de lui amener Chinti, la main refermée si durement sur son bras qu'elle y laisse des marques violettes. Elle la lave de la tête aux pieds. Elle lui achète des vêtements neufs, mais rugueux et bien couvrants. Aucun espace de son corps n'est laissé nu. Elle l'habille comme une petite nonne, de couleurs sombres, d'écharpes modestes. Lui coupe les cheveux court parce que, laissés libres, les cheveux de Chinti ondulent, épais, entourant de nuit son visage. Parfois, Chinti se dit que Veena aurait voulu lui raser la tête tant elle met de hargne à taillader ses mèches. Elle pleure, désolée que ses cheveux soient ainsi sacrifiés.

Mais lorsque Shivnath la voit, il ne perçoit plus que les étoiles. Il lui tend les bras avec une tendresse telle que Chinti ne peut que s'y précipiter. Elle entend le soupir profond de Shivnath lorsqu'il la reçoit contre lui. Il lui touche le visage, lui sourit avec tant de bienveillance qu'elle voudrait qu'il ne s'en aille jamais, ou qu'il l'emmène avec lui. Être traitée comme une petite fille aimée, pour une fois, pour une fois ; mais la présence de Veena le lui interdit.

— C'est quoi, ces vêtements ? demande Shivnath. Pourquoi l'habilles-tu comme une vieille ?

Veena fait semblant de ne pas entendre.

Chinti regarde les vêtements qu'elle porte et qui lui semblent très jolis, à elle qui n'a jamais rien eu de nouveau. Comment voudrait-il qu'elle s'habille ? Elle ose alors lui demander :

— Tonton, tu veux me voir porter quoi ?

— Ce que je veux que tu portes ? Une jolie jupe en soie rose, un voile brodé, et des bijoux en or. Je te les apporterai la prochaine fois, ma jolie.

Tandis que Chinti se met à rêver, Veena se ronge les ongles jusqu'au sang.

Elle ne peut plus se leurrer en se disant que son métier n'affecte qu'elle, elle seule. Elle commence à apprendre le sens de la responsabilité. Mais pas seulement. Car ce n'est pas la charge que représente Chinti qui la fait se tordre la nuit comme si elle avait avalé de l'acide. C'est

– admettons-le – l’amour qui naît en Veena comme tout ce qui naît en Veena : dans la violence et la douleur.

Pas de demi-mesure chez elle. Les barrières qu’elle a soigneusement érigées entre elle et sa fille s’effondrent. Y entre alors la passion. Or, la passion-Veena est une chose superbe dont personne ne connaît la puissance, pas même elle. La passion-Veena, c’est une avalanche qui l’étouffe et la transporte à la fois. Mais s’y enliser risquerait de lui faire perdre toute raison, alors elle se reprend, elle réfléchit, elle calcule.

Comment la faire sortir d’ici ? se demande-t-elle. La laisser dans un orphelinat ? Non, Chinti est assez grande pour dire où elle habite et comment sa mère s’appelle. Et d’ailleurs, même s’ils l’acceptent, où finira-t-elle, sinon dans une autre ruelle, dans une autre cellule ? Quel avenir autre lui offriront-ils ?

Elle pourrait s’en aller avec Chinti, partir ailleurs, mais où ? Et que ferait-elle d’autre ? Travailler comme femme de ménage dans les complexes luxueux qui bourgeonnent dans la ville ? Qu’est-ce que ça changerait ? Rien, sauf les transformer toutes deux en esclaves, forcées de trimer du matin au soir pour des femmes aux bouches avides, et de se soumettre gratuitement aux hommes. Prostituées sans l’être vraiment, sans être payées pour, et tout aussi méprisées. Donc, pire encore que maintenant. Les riches de ce pays ne s’embarrassent pas de bontés inutiles.

Veena tente d’imaginer les évasions possibles, mais rien ne lui vient à l’esprit. L’horizon est verrouillé. Elle est aussi prisonnière que si elle avait commis un crime.

Pas de crime, se dit-elle, la bouche amère, juste la nécessaire condamnation des pauvres et des putes. Mais Chinti, elle, n'a rien demandé. Et elle aussi est piégée.

Face aux travers de la fortune, jamais Veena n'a ployé. Aujourd'hui, froide et figée, elle comprend que la route s'arrête là. Mieux vaut qu'elle les tue toutes deux plutôt que d'offrir sa fille à Shivnath. Cette vision d'avenir lui glace les os, lui perce les yeux, lui mord le cœur. Lorsqu'elle tombe à genoux, ce n'est pas pour satisfaire un homme, mais pour contempler le gouffre.

Celui qui nous attend toutes.

DEUXIÈME PARTIE

Sadhana

Bon, d'accord : à force de dire *je* et *nous*, il faut bien que je me dévoile. C'est la convention. Car je les connais toutes, ces femmes, ces filles, ces loques, ces plus-ou-moins-vivant(e)s, je les connais parce que, de là où je suis, je les vois, je les observe, je les devine, et je les écoute.

Moi, la hijra. Voilà, c'est dit. J'aurais préféré ne pas en parler, mais c'est la règle quand on raconte une histoire : on doit se présenter. Je sais bien que je pourrais laisser imaginer que c'est un auteur sans visage qui écrit cette histoire. Mais ce serait une coquetterie inutile. J'aime regarder les autres et raconter leur existence, ne serait-ce qu'à moi seule. Pourquoi ferais-je semblant de ne pas être là ? Quand je donne mon avis, je dois assumer ce que je suis, qui je suis, que je suis.

Donc, voilà. Je suis là, présente, à leurs côtés. Veena, Chinti, Janice, Bholi et les autres.

Parce que, dans la Ruelle, il y a une autre maison.

J'y vis depuis que j'ai seize ans, depuis que je suis arrivée, il y a trente ans, les pieds sanglants et portant des vêtements de garçon même si j'ai toujours su que j'étais une femme.

Cela semble si simple à dire. Quelques petits mots qui ne disent pas tout, qui ne disent rien du tout. En réalité, je suis née dans un monde qui me refuse. Le corps exige sa naissance, son émergence. Il demande à déployer ses ailes. Mais j'étais claquemurée. Le mot chrysalide est trop beau : ce carcan n'est pas une chose naturelle mais le regard des autres – famille, voisins, entourage, le mur de ronces qui vous saigne.

Et pourtant, quelle innocence que celle de l'enfant différente, autre ! Je dis *autre*, mais en réalité je ne l'étais pas, j'étais simplement moi, celle que je suis aujourd'hui avec mes pareilles et pour qui le mot *autre* est une abomination, mais à cette époque-là, je ne savais pas que l'on pouvait être une femme née dans un corps d'homme. Toute petite, donc, j'accompagnais ma mère lorsqu'elle faisait ses courses, et avec quelle grave minutie je l'aidais à choisir les légumes et marchandais les prix avec les vendeurs goguenards mais toujours respectueux ! À la maison, je dessinais sur le sol des *rangolis*, ces motifs à la craie qui apportent la bonne fortune, et ma mère, ravie, s'exclamait que c'était moi, sa petite bénédiction. Et à l'abri du regard de mes proches (mue sans doute par l'instinct, déjà), j'enfilais les vêtements de mes sœurs et je dansais en mimant des chansons de film.

Ma joie simple se transformait alors en illumination. Les bonnes, innocentes elles aussi, du moins, je le crois, friandes d'un moment de distraction, m'encourageaient en frappant dans leurs mains. Parfois, les jardiniers venaient me regarder par la fenêtre. J'étais secrètement admirée, emplie d'un rire qui ne me quittait pas.

Il y avait une vieille chanson de film qu'on adorait tous : *Jhumka gira re… Bareli ki bazar me…* Une chanson vive, un peu salace (je ne le savais pas encore), où la fille raconte avoir perdu une boucle d'oreille au marché du village de Bareli. Mais ce soir-là, son amoureux, ayant retrouvé sa boucle, vient dans sa chambre et insiste pour la remettre à son oreille percée. La jeune fille refuse, et refuse et refuse… jusqu'à finir par céder. Alors, et c'est la fin de la chanson, l'homme l'enfonce dans le trou de son oreille.

J'avais vu la séquence du film d'innombrables fois à la télévision. Je pouvais reproduire les mimiques de l'actrice dans les moindres détails. Une servante m'avait confectionné une tenue pareille à la sienne, avec une ample jupe de satin bleu roi qui s'ouvrait en corolle lorsque je tournais sur moi-même, et une tunique et une écharpe rose bonbon aux broderies dorées. Elle m'avait aussi percé l'oreille en cachette. Je crois qu'elle admirait la finesse de mon corps et la grâce de mes traits. Et me voilà dansant, sautillant, tournoyant avec mes longues boucles d'oreille, chantant *Jhumka gira re*, et tous frappaient dans leurs mains, riaient, m'encourageaient, m'applaudissaient. Oh, mes déhanchements, les pas savants de mes pieds ornés de clochettes, mon cou si souple et mes mains-papillons qui s'envolaient ! Je rêvais de devenir danseuse quand je serais grande. Je serais sur toutes les scènes du monde. Les compliments fuseraient. J'étais étourdie de joie.

Un jour mon père est rentré tôt de son travail. Il était haut fonctionnaire de l'État, un homme respecté de tous. Il s'est arrêté devant la porte du salon où nous nous trouvions. Il a regardé avec stupeur ma prestation rieuse devant la troupe de serviteurs. Il a attendu que je termine, que je salue, qu'ils m'applaudissent. Puis il est entré, m'a saisie par l'oreille et m'a traînée dans sa chambre. Là, il a arraché mes vêtements en quelques gestes nerveux, et nue et tremblante devant lui, m'a fait danser sous ses coups de ceinture.

Ce soir-là, j'ai été traduite devant le tribunal de ma famille. Grands-parents, grands-oncles, grands-tantes, oncles, tantes, cousins, nièces, frères, sœurs, chiens, chats, tous, tous, même plus jeunes que moi, même ceux qui étaient trop petits pour comprendre quoi que ce soit, se sont assemblés pour me juger. Je ne comprenais pas ce que j'avais fait de mal. Mais mon père, assis au centre, leur a raconté d'une voix froide tout ce qu'il avait vu. Dans les moindres détails. Il leur a montré mon costume déchiré, mes boucles, mes oreilles percées. Il leur a décrit mon maquillage. Et comment je dansais.

— Il nous a humiliés devant nos serviteurs ! Si ça se sait, je pourrais perdre mon emploi. Je serais la risée de la société.

Il y a eu un grand silence.

Ma mère s'est mise à pleurer, mais n'a rien dit. Moi, dans ma tête, j'entendais la chanson qui continuait de rayonner en moi, *Jhumka ! mera jhumka, mera jhumka, hoï hoï hoï !*, et alors, tout à coup, pensant à la joie que je ressentais en dansant, je me suis dit que mon père avait mal décrit ma danse, que si je leur montrais ce que je savais faire, les petits pas précis, les gestes souples des bras, les mouvements des yeux, du cou, ils comprendraient ! Ils sauraient ce que cela signifiait pour moi, à quel point mon corps était libre et gracieux, à quel point j'étais belle, ainsi, belle et digne d'être admirée ! Je me suis donc mise à chanter, à danser, à sautiller, à virevolter, retrouvant, malgré la douleur, le vertige et le miracle de ma vraie nature devant ma famille stupéfaite.

— *Hoï, hoï, hoï !* ai-je crié, un grand rire dans la voix.

C'était merveilleux, je ne pouvais pas m'arrêter de rire, et plus je voyais leurs yeux écarquillés, les mâchoires serrées de mon père, la face pétrifiée de ma mère, plus je riais, je pensais que j'allais accomplir ce miracle, leur faire prendre conscience de ma beauté, de mon talent et de ma vraie nature. Tous se confondraient en excuses de m'avoir si mal comprise, et je leur pardonnerais.

Mais non. Ma mère m'est tombée dessus, s'est mise à me gifler, à me tirer les cheveux, me secouer, en me traitant de noms qui n'avaient rien à voir avec sa *petite bénédiction*. Je ne reconnaissais pas ce visage grimaçant, normalement si doux et souriant. Mais c'était bien elle, les lèvres retroussées, les dents jaunes, la face ravagée par la haine : ma mère.

Ai-je besoin de décrire les exactions qui ont suivi ? Seule la voix de ma danseuse m'a gardée vivante.

Ils m'enfermaient, me surveillaient, me coupaient les cheveux ras, me faisaient porter des tenues de garçon. Quelqu'un m'accompagnait à l'école et me ramenait, on ne me laissait jamais seule. Au moindre déhanchement, je recevais des coups de canne. Mais rien de tout cela n'a pu me changer. J'ai appris à me cacher, mais dans mes rêves, j'étais toujours la danseuse accomplie. J'étais Sadhana, comme l'actrice que j'aimais. Je rêvais du moment où je serais assez grande pour partir et être enfin celle que j'étais.

Entre-temps… L'étau se resserrait. J'étais mince et élancée, la taille fine, la démarche cadencée. J'avais des traits doux, de longs cils, une bouche pleine, des mains de danseuse. Trop belle pour être un garçon. Au lycée, personne n'était dupe. Contrairement à mes parents, les élèves et les professeurs savaient qui j'étais. Cela ne les a pas empêchés de me harceler pour me faire savoir que je n'avais pas ma place parmi eux. Ils me pinçaient les fesses, touchaient ma poitrine, se moquaient de moi sous la douche. Finalement, un soir, alors que je sortais des toilettes, quatre garçons m'ont dépucelée avec un balai. Saignant et sanglotant, j'ai quitté le lycée et la ville le soir même, sachant que je ne pourrais plus y vivre.

Et je suis arrivée ici, dans cette maison, où je vis encore. Je parlais du *lingam*, mais notre acte de foi à nous, c'est de perdre le nôtre. Et quand je dis perdre… Je savais que j'en passerais par cela, mais pas de quelle façon.

À seize ans, j'ai rejoint cette ancienne communauté, celle des hijras, dont le nom est cité dans les livres sacrés datant de plusieurs millénaires. Nous avons nos propres mythes d'origine, même si cela n'a plus grand-chose à voir avec notre réalité. Je savais qu'elles m'accueilleraient telle que j'étais : comme moi, elles refusent d'être emmurées dans une uniformité dont le seul but est de détruire ce que nous avons d'unique. Chacun de nos chants célèbre la diversité de l'espèce. Nous sommes, disent-ils, le miroir de l'infini. Ceux qui nous écoutent reconnaissent en nous, souvent malgré eux et malgré les préjugés et la peur, la source d'une ancienne connaissance et d'une éternelle magie. C'est pour cela qu'on nous invite aux mariages, aux cérémonies importantes ; nos chants et nos danses invoquent la bénédiction de la déesse. Mais nous ne sommes pas acceptées pour autant. Nous existons à la marge, hors de la société, à peine tolérées par crainte superstitieuse. La plupart du temps, nous ne recevons des autres que le mépris.

À seize ans, j'ai été accueillie, consolée et réconfortée.

À dix-huit ans, j'ai subi la souffrance la plus extrême, et la joie la plus extrême.

Je suis arrivée, tremblante et affamée, et elles m'ont ouvert les bras, et leur visage doux, leur grâce, leur chaleur, leur familiarité, et leur odeur si particulière, mélange de masculin et de féminin, si semblable à la mienne.

Mais pour être pleinement acceptée, il m'a fallu deux ans d'apprentissage auprès de ma Guru, deux ans d'obéissance absolue, deux ans où j'ai mendié, dansé dans des coins de rue, fouillé les ordures pour vivre. Ensuite seulement ai-je pu abandonner cette partie de moi qui me contredisait depuis toujours : mes organes masculins.

J'aurais pu choisir une voie un peu moins difficile : sous anesthésie, opérée par un médecin. Mais la méthode traditionnelle, m'avait-on dit, bien que source d'une indescriptible souffrance, me conférerait un statut particulier dans la communauté. Confiante dans ma capacité à endurer, incapable d'imaginer ce que cela signifiait vraiment, j'ai opté pour celle-ci.

J'ai choisi de passer par la morsure du couteau.

Je ne voulais pas me dérober à ce rite de passage ancien. Il fallait que je meure pour renaître entière. C'est ainsi que la déesse entrera en toi, m'ont-elles dit. C'est ainsi que tu seras nôtre, notre fille, notre sœur. Il te faudra du courage pour quelques secondes. Elles m'ont expliqué ce qui allait m'arriver, comment je renaîtrais à ma véritable nature. L'offrande à la déesse nous place sur un plan plus élevé. Le sang qui gicle nous libère des poisons de notre fausse sexualité.

Oh, j'y ai cru, jeune, assoiffée d'absolu.

Pendant plusieurs jours, j'ai suivi un régime strict, sans viande ni épices. Je n'avais pas le droit de sortir, ne devais pas me regarder dans le miroir, devais me consacrer à la contemplation de la déesse. Il fallait, pour que le rite puisse s'accomplir, que la divinité se mette à me sourire. Dans l'état de transe où je me trouvais, je la voyais parfois rire, parfois grimacer de colère. Le jour du rituel, si une noix de coco lancée à terre se brisait en deux moitiés parfaitement égales, cela signifiait que la déesse avait accordé sa bénédiction.

Ce jour-là, la Maîtresse était présente à mes côtés. Une grande femme au visage un peu cabossé, mais emplie de cette douceur qu'ont toutes les hijras. Celle qui allait m'opérer m'a assuré qu'elle l'avait fait des centaines de fois, et qu'elle me ferait souffrir le moins possible.

Elle a enserré le pénis et le scrotum dans un cordon noir. Réhane a mis une mèche de ses longs cheveux épais dans ma bouche et m'a dit de mordre dedans. Je devais répéter le nom de la déesse jusqu'à ce qu'elle m'emplisse l'esprit et le corps. Alors, elles se sont mises à chanter.

Mais moi, j'ai pensé à *Jhumka gira re*. J'ai commencé à danser dans ma tête, danser dans cette tendre euphorie, et j'ai entendu tinter mes clochettes, et se balancer mes longues boucles aux oreilles, et mes mains aussi ont dansé, et –

Comment aurais-je pu imaginer une pareille douleur ? C'est impossible. Impossible, aussi, de la dire. La froideur de la lame qui s'appuie contre la peau fragile, s'appuie encore, puis, d'un seul coup, la mord. La coupure fait sursauter le corps. Puis se prolonge, et attise et électrise toutes les terminaisons nerveuses, tord l'esprit et le corps dans une décharge d'agonie absolue.

Là, ce n'est plus possible de dire.

Il n'y a pas de mots.

Je me suis évanouie.

J'ai été déposée, sanglante, dans un fauteuil face à un feu ouvert. Il n'y a pas eu de bandages ni de pansements. Quelques minces cataplasmes de plantes que la guérisseuse appliquait. Mes sœurs me disaient que j'étais au cœur de la lutte entre la déesse de la vie, la nôtre, et celle de la mort. La fumée et les herbes aromatiques qu'elles brûlaient et concoctaient en tisanes m'ont plongée dans un état d'hébétude jusqu'à ce que, peu à peu, la plaie se referme. Pour cela, il a fallu des semaines d'une souffrance extrême et des mois d'une douleur à peine plus supportable.

Oui, il m'a fallu traverser la terreur. Ou l'enfer, si l'on regarde les choses de l'extérieur. Mais comment peut-on nous comprendre de l'extérieur ? Ce besoin d'être *nous*, d'être telles qu'en nous-mêmes, d'être ce que nous étions nées pour être, et surtout la liberté ? Cette liberté qui n'est offerte à personne dans ce pays, nous l'avons conquise par notre sacrifice. Je ne l'ai pas regretté, même si je n'ai jamais conseillé cette méthode à d'autres. Leur choix devait être libre, lui aussi.

C'est ainsi que je suis devenue Sadhana, la meilleure danseuse du quartier et peut-être même de la ville. On m'accueillait avec respect aux cérémonies de fiançailles ou de mariage, ou lors du choix du prénom d'un bébé. Dans les marchés, on m'offrait plus volontiers qu'à d'autres les produits que je venais chercher. Je gagnais juste assez pour ne pas avoir, comme la plupart d'entre nous, à mendier ou à me prostituer. Mon choix d'émasculation a fait de moi une personne respectée de toute la communauté.

Maintenant que je suis une aînée et que je peux regarder en arrière, et ayant beaucoup lu, je comprends qu'ailleurs, dans un pays occidental, par exemple, j'aurais peut-être pu être acceptée. Ici, il a fallu que je rejoigne une communauté frappée du sceau de l'interdit. Mais je ne le regrette pas. Au cours de ces trente dernières années, je suis parvenue, avec d'autres, à changer certaines choses et à obtenir une sorte de respect pour nous toutes. Dans la maison dont je suis aujourd'hui la Maîtresse, personne n'est réduit à la mendicité ou à la prostitution. Je tente de nous trouver d'autres sources de revenu, de vrais emplois. J'accueille aussi des enfants, des adolescents, égarés comme je l'étais dans un monde qui les refuse. Je les protège, je les comprends.

C'est pour cela que j'éprouve tant de compassion envers les femmes de la Ruelle. Elles n'ont, elles, aucun statut, et nulle communauté ne les accueille. Elles sont, aux yeux du monde, la lie de la lie : quand elles vieillissent, elles meurent, tout simplement, comme des rats dans un caniveau. Je les regarde, je les admire, je les plains.

Et leurs enfants encore plus. Comme la petite Chinti… Celle que j'ai vue grandir comme une herbe sauvage dans la Ruelle, celle dont l'intelligence fine s'est accrue tandis qu'elle apprenait le monde, observant tout ce qui se passait et tentant, sinon de vivre, du moins de survivre. Je l'aime, cette petite fille, et j'ai peur pour elle. Trop d'intelligence, ici, ne vous sauve de rien.

Chinti mérite un autre destin.

Depuis le balcon où je me tiens, je vois tout ; je suis une déesse surplombant le monde. Les flux du vent semblent me protéger des miasmes, alléger la chape de chaleur, dissiper les bruits qui lancinent le jour. Je plane sur cet univers et m'imagine en chef d'orchestre subtil, tout-puissant. Car ne vous méprenez pas : ici *est* le monde. Dans toute sa splendeur. Sa terreur, sa laideur.

En réalité, je suis une déesse sans pouvoir, planant au-dessus d'un horizon d'immondices.

Tout à l'heure, un jeune garçon, un apprenti sans doute, est venu livrer le lait. Ce n'est pas celui qui fait la tournée d'habitude à cette heure. Celui-ci, Jamil Sahib, va sur ses quatre-vingt-dix ans. Son corps est maigre et ses jambes flageolent sur sa bicyclette, mais il peut grimper une côte sans flancher. Ces dernières semaines, cependant, il s'est mis à dépérir. Sa peau a jauni, il est devenu plus maigre encore, ses yeux s'égaraient sur le bitume, cherchant une piste qu'il ne trouvait pas. Il scrutait les façades, semblait se demander où livrer ses bidons de lait alors qu'avant, il ne se trompait jamais. Il a bien fallu qu'il s'arrête et passe le relais.

Ce relais, c'est ce jeune garçon. Trop joli pour être vrai. Je vous le dis, moi qui m'y connais : il y en a, des comme ça, qui font battre votre cœur plus vite. La courbe douce de sa mâchoire, la finesse du nez, la noire profondeur de ses yeux. S'aventurant dans la Ruelle, il pousse sa bicyclette chargée et tente de faire entendre sa voix au milieu des bruits, ce *dhuuuuudh* qui annonce le lait mais qui, ainsi chanté, sans l'expérience de Jamil, n'impressionne personne. C'est plutôt un oiseau craintif qui éructe, et c'est tellement ridicule que toute la Ruelle éclate de rire, pour une fois, d'une gaieté contagieuse. Sauf les maquereaux qui, eux, ne rient pas. Un garçon trop joli, qui fait rire ? Un nouvel arrivé, une chair fraîche offerte en pâture ? Ils avancent et lui barrent le passage.

Bakchich, ordonnent-ils.

Lui, inquiet, mais s'efforçant de les ignorer parce qu'il n'a que quelques pièces dans la poche, rétorque : *dhuuuuudh !* Ce cri atteint une note impossible lorsque le premier coup de poing s'enfonce dans son ventre. Les bidons de lait répandent leur mare bleue à ses pieds. Après, il est traîné vers un recoin plus sombre où il comprendra qu'il n'était pas prêt à s'aventurer parmi les fauves.

Il ne sera pas exhibé comme les femmes de la Ruelle. Mais dans un lieu encore plus secret, il sera offert à ceux qui, sous leur masque, se vengeront sur lui de leur propre frustration.

J'aurais voulu l'accueillir ici, mais je me heurte à nos règles, nos principes, ces interdits qui régissent toute communauté. Je sais qu'il est déjà trop tard pour lui.

Et la journée vient à peine de commencer.

Ensuite les femmes s'éveillent. Elles déroulent leur corps fluide hors de leur trou. Je vois les blessures nées de la nuit s'épanouir comme des fleurs dans le noir. D'autres plaies plus cachées seront lavées dans le caniveau où elles se débarbouillent, leur sang rejoignant celui des animaux crevés pendant la nuit, chiens ou cabris dont les plus pauvres mangeront les restes.

Même si je pense que j'ai tout vu, je sais qu'il y en aura toujours plus. La tristesse habituelle m'envahit. Comme si elle l'avait senti, Réhane vient sur le balcon et pose les mains sur mes épaules. Ah, ma chère Réhane, ma compagne, ma sœur, je ne sais pas ce que j'aurais fait sans elle, les premiers jours où je suis arrivée ici. Elle est aujourd'hui plus défaite que moi par tout ce qu'elle a vécu. Malgré sa perruque noir-jais, son visage, ses mains, son cou trahissent sa cinquantaine passée ; mais surtout le cancer qui la ronge depuis peu. Elle a été à mes côtés depuis le premier jour, depuis la mèche de ses cheveux qu'elle a mise dans ma bouche pour m'aider à subir le rituel. Depuis qu'elle a posé sa main sur ma poitrine pour m'insuffler son calme.

Je pose ma bouche sur ses mains avec révérence. Elle a des traits lourds et un corps épais sous son sari. Mais qu'importe ? Nous, les hijras, nous savons ce que dissimulent les apparences les plus disgracieuses, les ossatures massives héritées de notre héritage masculin. C'est à la douceur de nos regards que nous nous reconnaissons. À nos histoires de vie. La tragédie de nos existences, nous la chantons et la dansons, nous l'exprimons de nos mains, de nos pieds, de nos yeux. C'est cela que les gens aiment voir ; ils sentent couler ce sang invisible tandis que nous faisons semblant de rire.

Après mon opération, malgré ma joie d'avoir été acceptée, la douleur m'a paradoxalement plongée dans le désespoir, comme si mon corps se révoltait malgré moi d'avoir perdu une partie si importante de lui. Ce que nous refusions d'appeler l'émasculation n'en était pas moins un traumatisme dont peu se remettent entièrement. Notre culture et nos rituels nous apprenaient à renaître et à redevenir. Mais le corps, lui, s'accrochait à ce passé et refusait de lâcher prise. À l'intérieur, les remous étaient d'une violence telle que seule l'idée de la mort pouvait offrir une consolation.

Pendant des semaines, mon esprit et mon corps se sont battus. J'étais déchirée, arrachée, littéralement démembrée. Tour à tour en larmes et épuisée, euphorique et terrifiée. Je ne savais pas combien le corps peut lutter contre ce qu'il perçoit comme une agression physique et mentale. Combien, même lorsque la douleur se serait résorbée, il s'insurgerait contre toute tentative de mon esprit d'accepter qui j'étais désormais véritablement : une femme. Alors que je l'étais.

D'ailleurs, la lucidité me disait, voyant toutes celles qui m'entouraient, que nous ne serions jamais acceptées comme des femmes non plus. Quelque chose dans notre visage nous confère une sorte d'étrangeté, de décalage. Même les plus gracieuses d'entre nous n'acquièrent jamais entièrement l'harmonie du féminin. Peut-être est-ce un choix, une façon de ne pas nous cacher : nous voulons être *nous*. Mon choix a fait de moi un être à jamais différent de tous, sauf des hijras. C'est à la fois un bonheur et une tourmente. En me joignant à elles, j'ai assumé mon identité de femme et de hijra à la fois. Pas l'une sans l'autre. Les gens croient que nos vêtements, nos cheveux, notre maquillage, nos bijoux sont un déguisement ; mais non : seul le corps hérité à la naissance est un déguisement dont nous tentons de nous débarrasser.

Qui, mieux que nos pareilles, peut comprendre ce déchirement, ce mystère, ce silence ? Reconnues sans l'être, tolérées mais marginales, troublantes et craintes, notre petite communauté a survécu aux millénaires, mais jamais nous n'avons reçu des autres cette acceptation qui nous aurait accordé une légitimité.

Le jour, je tentais d'être forte et de mériter la tendresse dont elles m'entouraient, les caresses dont elles étaient prodigues, les gâteries qu'elles m'offraient pour me faire oublier ma souffrance. Mais le soir, tout me revenait. Je pleurais en silence, contemplant une défaite plus amère encore parce que je l'avais choisie.

Alors, un soir, Réhane m'a emmenée sur le toit de la maison. De là, nous voyions l'étendue de la ville, noyée dans une brume nocturne qui la rendait douce et masquait le magma de violence qui l'envahissait d'habitude. Assises l'une à côté de l'autre, elle m'a parlé. Petit à petit, elle m'a amenée à entrevoir un destin, sinon plus heureux, du moins plus ouvert aux possibles.

— Crois-tu que nous ayons besoin des autres ? me dit-elle. De ces autres qui ne sont pas comme nous ? Regarde autour de toi, la tragédie de ces gens, hommes ou femmes ; ils doivent lutter sans pouvoir compter sur ce que nous avons, nous : notre compréhension, les unes des autres, nos mains sûres d'être toujours tendues, notre certitude d'être accueillies. Personne d'autre ne nous offrira un abri. Mais eux, au cœur même de leurs familles, de leurs communautés, de leurs pareils, rongés par la jalousie, les mesquineries et les haines, ce qui les attend, c'est la solitude. Nous avons certes nos rivalités, notre hiérarchie, et même des exigences difficiles à accepter, mais notre lien de sœurs est souverain. Jamais nous n'abandonnerons l'une des nôtres. À chaque fois que tu pleureras, souviens-toi que je serai toujours là pour recueillir tes larmes.

Elle m'a attirée vers elle. J'ai posé la tête dans son giron. Elle avait une étrange odeur d'encens, de parfum et d'homme, mais ses yeux penchés sur moi étaient ceux d'une mère. La main me caressant le front me disait qu'elle avait vécu tout ce que j'avais vécu, et, ayant parcouru cette route, elle refusait de me la laisser franchir seule. Son sari de coton fleuri absorberait tout : larmes, sang, ruissellement de chagrin, explosion de colère, tout. Elle m'absorberait entière, le temps que je renaisse.

À l'aube, quand le soleil s'est mis à faire rutiler les toits de tôle et résonner les cris des vivants, je me suis endormie pour la première fois sans pleurer. Elle est restée là, le pan de son sari recouvrant mon visage pour me protéger du soleil, mais exposée, elle, à sa morsure, jusqu'à ce que je me réveille, étonnée de me sentir neuve.

Nous ne nous sommes jamais quittées. Maintenant, avec son cancer du poumon causé par les *bidis* et les mauvaises cigarettes que nous fumons, je sais qu'elle me quittera bientôt. Mais c'est elle qui me console.

Nous seules sommes capables de faire face aux plaies de l'autre et de pouvoir y poser la main sans frémir. Oh Réhane, je ne sais pas si je pourrai leur faire comprendre ! Je ne sais pas à quoi cela servira, de dire ce qui ne peut pas être dit.

C'est peut-être parce que je vois la fin de notre chemin commun que je me suis mise à écrire ceci. Pour que notre passage ne soit pas vain. Et parce que je sais que je ne lui survivrai pas. Et que sans moi, personne ne connaîtra l'histoire de Veena et de Chinti et de toutes ces autres qui ne sont rien que des fantômes vite dissipés par la brutalité de l'Histoire.

Personne ne parlera de nous. Je veux dire, individuellement. Ce pays a parfait l'art de l'indifférence grâce aux mythes qui disent que *tout est écrit*.

Notre vie, en réalité, n'est pas si différente de celle des autres femmes de la Ruelle. Beaucoup d'entre nous sont obligées, faute de place dans les maisons, de dormir dans la rue, dans les gares, dans les encoignures et de gagner leur vie en mendiant et en se prostituant. Tentant de se protéger des prédateurs qui n'ont qu'une envie, humilier une hijra, et des policiers qui exigent leur part de nos gains et des offrandes en nature avec leur habituelle violence.

Mais pour celles qui possèdent cette chose mystérieuse que nous appelons l'Art, c'est-à-dire le chant ou la danse, leur rôle est de participer aux rituels. Nous pouvons vivre de nos talents de danseuses, de musiciennes, de conteuses. Nous rapportons assez d'argent pour avoir droit au gîte et à la nourriture. Mon destin a été moins terrible qu'il aurait pu l'être.

Lorsque je regarde mon visage dans le miroir, je vois une femme encore fraîche, encore belle. Je n'abuse pas du maquillage qui ronge la peau, et j'ai appris à porter le sari avec la grâce innée qu'exige ce vêtement. Parfois on me prend pour une femme née telle, jusqu'à ce que, de plus près, cette différence subtile qui nous démarque se révèle. Mais j'ai appris à m'aimer. Je ne leur en veux pas de me craindre. J'ai parfois l'impression que ce pouvoir de bénédiction que l'on attribue aux hijras est véritable, mais je sais que je porte aussi en moi une ombre néfaste.

Parce que j'ai été au collège et que je sais lire et écrire, il m'a semblé que je devais raconter notre vie. Pas pour révéler nos secrets, à nous, hijras, mais ceux des autres femmes de la Ruelle, toutes si différentes, avec leur personnalité, leur expérience, leur passé, leur avenir, ces vies qui ne seront jamais dites parce qu'elles vivent et meurent hors du regard des autres.

C'est surtout Chinti qui m'en a donné l'envie. Parce que voir cette enfant naître ici, grandir, se développer, tenter d'échapper aux codes et aux règles, devenir *autre*, cela m'a fait entrevoir un avenir différent pour les miens aussi. Un jour. Quand l'Inde ne sera plus l'Inde. Quand ce grand feu qui nous consume se sera éteint. Quand nous serons enfin *acceptées*.

Quand tout ce qu'il y a de factice dans cette société où la richesse est la plus grande ambition sera enfin détruit.

Tous courent après la vie rêvée des films et de la télé, ce monde à portée de main et toujours hors d'atteinte, ce monde de pacotille et de mirages, d'artifices et de mensonges. Mais pour nous qui pataugeons dans la boue, c'est un rêve impossible. Notre vérité, c'est le dénuement, le sacrifice et la souffrance. Notre vérité, c'est ce rire terrible qui claque quand nous sommes au plus bas. Notre vérité, c'est une mèche de cheveux serrée entre ses dents pour ne pas crier.

Chinti, Chinti – si jamais tu pouvais, toi… Si tu étais le visage de demain…

Je n'en sais rien. La Ruelle est baveuse en ce jour de mousson, et mon corps est encore douloureux. Les possibilités se sont égarées.

Je n'aurais jamais été un homme, certes. Mais n'y avait-il pas un autre moyen d'être moi ?

Chinti, si tu pouvais. Être toi.

Laisser entrer le jour, la brise, la pluie, le soleil, les douces folies. Mais nos folies ne sont jamais douces. Elles ne peuvent être que meurtrières.

La première fois que je l'ai vue, c'était auprès du marchand de fleurs. Ce jour-là, j'ai remarqué que la lumière était différente, mais je ne savais pas ce que cela signifiait. Je n'ai jamais su lire cette langue.

Je suis descendue acheter des fleurs fraîches. C'est le premier, le seul plaisir que nous offre le jour, le velours du *chameli*, le souffle clair du jasmin, le parfum d'épices du chrysanthème, l'explosion jaune du *kanakambaram*. Des bijoux à la vie brève qui orneront notre chevelure, vraie ou fausse. Soleils factices auxquels nous nous efforcerons de croire.

La maison des hijras est parfumée d'encens et de fleurs. J'essaie de la garder propre et saine, c'est là mon seul pouvoir. En devenant une Guru, j'ai établi des règles qui semblaient incompréhensibles à la plupart d'entre nous. Mais, habituées à notre stricte hiérarchie, mes sœurs ont obéi. Notre maison est aérée, les miasmes de la rue dissipés par des essences florales et les épices provenant des fourneaux. Dans cette rue où tout est laideur, il y a quelque chose de beau dans cette maison qui est un passage, à la fois renoncement et annonce, mort et renaissance. Ici vivent des êtres fragiles au rire triste, aux voix toujours trop fortes, otages de la vie. J'ai voulu nous entourer de la beauté qui nous est refusée dès notre naissance.

La partie du dortoir que nous partageons, Réhane et moi, est notre refuge. Les nattes de jute crissent sous nos pieds. Tout y est scrupuleusement propre, les cafards morts et les crottes de souris enlevés au matin, la poussière de la ville balayée, les murs aspergés d'eau pour les rafraîchir, les fleurs renouvelées, les bâtonnets de bois de santal brûlés à longueur de journée. Nos vêtements sont rangés dans une malle, nos bijoux et nos ornements de cheveux accrochés à des clous autour d'un miroir. Saris brodés d'or et de paillettes, blouses cousues sur des soutiens-gorge rigides, voiles transparents aux couleurs de l'arc-en-ciel, chaînes d'argent pour nos chevilles, bracelets en verre multicolores, palettes de *bindis* pour notre front, tous ces accessoires sont devenus une part essentielle de nous.

La même panoplie que les femmes de la Ruelle, mais pour nous, c'est un rite, le signe distinctif de ce que nous sommes. Pour elles, c'est un déguisement humiliant qu'elles endossent pour oublier qui elles sont.

Au matin, quand nous nous habillons et nous maquillons, nous réintégrons notre peau. Pour Réhane, c'est la savante réinvention de son visage et de son corps : éclairer son teint, allonger ses cils, souligner ses lèvres ; puis masquer ses formes masculines en ajoutant d'autres formes au niveau des hanches, des fesses et de la poitrine. Ensuite, c'est à mon tour : la douceur de la rose sur mes lèvres et du khôl dans mes yeux, un voile vaporeux sur mes épaules.

— Rien d'autre, dit-elle. Tu es si belle.

Nous nous regardons, princesses d'un jour, d'une heure, oublieuses des regards.

Depuis quelques mois, Réhane s'habille avec difficulté. Traits cireux, cernes violets. Je suis la seule à voir son crâne dégarni avant qu'elle ne pose sa perruque. Elle n'a pas envie de se lever, mais je la bouscule, l'oblige à se remettre debout, l'oblige à vivre.

— Je suis fatiguée, Sadh… dit-elle.

Mais je ris, je la taquine, je tapote ses joues pour y faire naître un peu de couleur, et je m'obstine à croire que tout cela n'est rien, que sa maladie est bénigne, qu'elle sera avec moi pour longtemps encore, pour toujours, parce que sans elle, sans elle…

— Je vais te chercher des fleurs fraîches, lui dis-je.

Elle sourit – une grimace – et hoche la tête.

Lorsque le marchand de fleurs arrive, je me précipite vers lui, presque fiévreuse, je veux les plus belles pour Réhane. Mais une petite main se lève de l'autre côté du panier, tendant une pièce :

— Qu'est-ce que je peux avoir, pour ça ?

Le marchand regarde la pièce cabossée et ricane. Je me penche pour voir l'enfant. Elle m'apparaît comme un soleil. Ses cheveux moussent autour de sa tête, joyeuse auréole. La bouche est tendre, le corps fluet. Des yeux d'animal rétif et de séductrice à la fois. Je ne peux m'empêcher de la dévisager. Elle trépigne d'impatience, et ce mouvement est une sorte de danse. Une rare perfection, destinée à ne durer qu'une saison, à peine le temps de s'épanouir. Bientôt, tous fondront dessus. Je détourne le visage, étourdie de peine. J'ai envie de fuir, de ne pas la voir, cette vie fragile qui coule dans ce corps et qui va si vite disparaître parce que c'est ainsi, parce qu'elle appartient à la Ruelle, ce monstre qui dévore tout, et rien d'autre ne lui sera permis.

Je suis figée par la révolte, la colère, la peine. Et fascinée. Comment ne pas l'être ?

— Qu'est-ce que je peux avoir, pour cette pièce ? redemande-t-elle plus fermement, toisant le marchand.

— Rien du tout, va-t'en, *churail*, répond-il avant de se tourner vers moi.

J'ignore le marchand qui la traite de sorcière et me penche vers elle :

— Qu'est-ce qui te ferait plaisir ?

Elle contemple les fleurs débordant du panier, les hume, tente de les effleurer du doigt mais le marchand écarte sa main d'une taloche. Elle indique le jasmin blanc aux reflets bleus. Je choisis plusieurs grappes de fleurs et paye le marchand sans attendre. Je les tends à la petite. Elle les prend, les yeux brillants.

— Pour moi ?

— Oui. Tu sais comment les attacher ?

Elle fait non de la tête.

— Viens avec moi, je te montrerai. J'habite juste là.

Elle me suit sans crainte. À peine entrée, elle lève le visage et respire profondément.

— Qu'est-ce qu'il y a ?

— Ça sent bon chez toi, dit-elle. Ça sent… propre. Ça sent le curry de pomme de terre et la mangue mûre.

Je regarde ses os saillants.

— Tu as faim ?

Ses yeux répondent à sa place. Je lui prends la main et l'entraîne vers la cuisine où mes sœurs sont à l'œuvre depuis l'aube. Face à ce curieux spectacle, la petite se cache derrière moi. Les autres hijras la regardent avec bienveillance, mais lorsque leurs yeux se tournent vers moi, j'y perçois un reproche : nous n'avons pas le droit d'introduire un étranger dans notre intimité. Mais elle est une enfant ; elle n'a pas encore appris à juger.

Je vais lui chercher une timbale de légumes, de *dhal*, de *chapati* et de condiments. Je m'assieds à côté d'elle sur une natte pour manger aussi. Elle fond sur la nourriture et l'engloutit à une telle vitesse que toutes les autres rient. Moi aussi. La petite main s'empare du *chapati*, en déchire un morceau, rassemble le *dhal*, le curry et les pickles avec, puis l'enfonce dans sa bouche ouverte tout en se préparant pour la prochaine. En un rien de temps, elle a nettoyé son assiette et me regarde avec une sorte d'espoir.

— Tu en veux encore ?

— Oui…

— D'abord, dis-moi comment tu t'appelles.

— Chinti, dit-elle.

— Ainsi tu es une fourmi ? dis-je pour la taquiner.

Elle hoche la tête, tout à fait sérieuse.

— Tu peux en avoir encore, mais tu dois apprendre à manger proprement. C'est une façon de te respecter.

Elle me regarde sans comprendre : la notion de respect ne lui est pas familière. Elle est emplie d'une gravité que contredit son âge. Une sorte d'innocence aussi. Et une confiance que je n'ai jamais vue ailleurs. Elle est prête à croire tout ce que je dis.

Ce jour-là, je ressens un bonheur inattendu. Je n'aurai jamais d'enfant, enfin, pas tant que ce pays aux trente millions d'orphelins ne me permettra pas d'adopter. Chinti, elle, c'est une possibilité nouvelle qui m'est donnée : offrir enfin quelque chose à une enfant qui n'a absolument rien. La guider, peut-être même la protéger. Plus qu'une fourmi, elle est un papillon. Elle était refermée sur elle-même, mais dès qu'elle comprend que je ne lui veux que du bien, elle se déploie. Yeux, bras, ailes.

Déjà, avec cette première leçon, apprendre à manger correctement, quatre doigts se refermant sur une petite boule de nourriture et laissant la paume propre, elle comprend tout ce qu'elle ne sait pas. Elle est avide d'apprendre. Je lui explique comment goûter à chaque aliment et le savourer pleinement, la bouche fermée, à la fois avec le palais et l'odorat. Je lui explique l'importance des épices, des couleurs, des textures. Elle ouvre grand les yeux, n'ayant jamais vu la nourriture de cette façon. Elle a visiblement été très mal nourrie. C'est la première fois qu'elle goûte certains légumes.

Je l'emmène ensuite dans le dortoir. Elle y entre timidement, se dirige vers les bijoux accrochés autour du miroir, tend la main puis la retire.

— Vas-y, tu peux toucher, lui dis-je. Tu peux même les porter si tu veux !

Elle hésite, et je crois l'entendre murmurer, les lèvres tremblantes, le prénom « Bholi ». Mais sous mon regard qui l'encourage, elle se libère vite de sa crainte. Bientôt, elle se met à tourbillonner, à virevolter, s'empare d'un collier de verroterie et le met autour de son cou, enfile des bracelets, accroche des babioles dans ses cheveux. Elle prend un voile et l'enveloppe autour de ses épaules. Je me mets à rire, attendrie. Puis je l'arrête dans sa course et l'assieds devant le miroir.

— Regarde, lui dis-je.

J'enlève tout cela et commence à lui peigner les cheveux. Ils sont mal coupés, mais si vaporeux ! Je les retiens d'une barrette et y accroche une épaisse grappe de jasmin. Elle semble aussitôt plus grande, plus mystérieuse. Elle se regarde avec des yeux fascinés. Je lui applique du khôl autour des yeux, pose un *bindi* sur son front. Je choisis un voile transparent, de la même couleur que sa robe bleu ciel, et l'assujettis à sa chevelure. Quelques bijoux assortis encerclent son cou, ses poignets et ses chevilles.

Elle se met debout et tourne sur elle-même, étonnée, se reconnaissant à peine. Puis, comme enivrée, elle tourne de plus en plus vite, ses bras s'élèvent et esquissent des arabesques délicieusement légères, ses petits pieds touchent le sol en cadence avec un bruit de clochettes, et je me rends compte que c'est moi que je vois, moi, enfant, moi, libre dans mon corps, offerte au bonheur de la danse, avec mes rêves et mes lèvres souriantes et mes yeux avides de joie – oui, cette enfant, c'est moi, dansant, chantant *Jhumka gira re*, encore ignorante de ce que l'avenir me réserve ! Mais voilà qu'elle s'effondre à terre, en pleurs.

— Qu'est-ce qu'il y a, Chinti ?

Je la prends dans mes bras, l'emmène dans mon lit, la berce.

— Ma mère voudrait que je sois morte, dit-elle simplement.

Et aussitôt après :

— Je peux rester avec toi ?

J'avoue que j'ai été tentée. Mes bras vides me pesaient. Mon cœur la réclamait, prends-la, elle est à toi, ton enfant, dans tes bras, un cadeau, un don, un miracle…

Mais non. Nos règles nous l'interdisent. La loi nous l'interdit.

— Ce n'est pas possible, Chinti. Je suis sûre que ta mère t'aime. Mais nous pouvons être amies, tu peux venir me voir quand tu veux, lui dis-je. Et je t'apprendrai à danser.

Son sourire illumine la pièce et m'inonde.

C'est ainsi que Chinti est entrée dans ma vie, et que j'ai voulu la préparer à une vie qui ne serait jamais la sienne. J'aurais dû savoir que c'était impossible. Mais l'espoir est un maître cruel. C'est peut-être cela qui l'a poussée plus vite dans les bras de Shivnath : avec moi, elle avait entrevu une autre possibilité.

Chinti est plus belle que sa mère.

Elle le sent, elle le sait.

Elle adore Veena et la craint. Elle commence à voir en elle une rivale.

Car tous l'admirent : moi, les autres femmes, la maquerelle, et surtout Shivnath. Elle se met à se regarder autrement dans le miroir. Elle n'est plus une petite fourmi noire et secrète, mais quelque chose d'autre, un être qui ressemble davantage aux papillons de Bholi. D'ailleurs, en cachette, elle ose maintenant les porter, ces papillons, le temps d'un sourire qui la fait scintiller, comme si Bholi elle-même lui en avait donné la permission. Pas une fourmi à écraser sous les semelles, ni un amas d'os ; mais un ensemble gracieux de formes dont on peut deviner la proche métamorphose.

Une poitrine ? Non, pas encore, malgré sa nouvelle manière de marcher en bombant le torse. Mais de petites hanches rondes, oui, et une cambrure qui lui permet de se déhancher juste ce qu'il faut. Depuis que Shivnath a interdit à Veena de lui couper les cheveux, ils ont poussé à toute allure, lourde masse vivante qui parfois lui sert de rideau pour cacher ses expressions, parfois s'écarte pour livrer le plus radieux des sourires. Et toujours, ces yeux si noirs, si troubles, car Chinti a bien des choses à cacher. Surtout ses rêves.

Elle est mieux vêtue aussi ; Shivnath a donné l'ordre de l'habiller comme une mini-starlette avec des jupes qui dansent autour d'elle quand elle court, des *cholis* qui soulignent sa taille et ses épaules, des voiles qu'elle porte sur la tête comme une longue traîne de princesse ou qu'elle jette négligemment sur une épaule, des bijoux fantaisie aux oreilles, au nez, au cou, aux poignets et aux chevilles ; tout cela offert par Shivnath.

Grâce à mes leçons, elle sait désormais les porter comme il faut, marcher avec élégance, tenir la tête droite et le menton haut, transformer en danse chaque geste de sa main.

C'est ainsi que Chinti devient une présence neuve, une image de grâce rare et précieuse. Elle vogue sur un nuage d'illusions, elle s'imagine être adoptée par Shivnath et vivre avec lui dans la grande maison à côté du temple dont il lui a parlé. Ses rêves se mélangent dans sa tête, rêves d'enfant et d'adulte mêlés. Mais elle est consciente d'une chose : c'est la danse de son corps qui lui permettra de conquérir Shivnath. Après tout, elle ne connaît que ce langage-là. Elle ne se ridiculisera pas comme Veena avec ses mimiques grotesques et ses paillettes à l'anus. Elle sera légère comme une fleur au vent, loin des miasmes de la Ruelle.

L'école de la fente a été efficace : Chinti fait un bond par-dessus l'adolescence pour devenir femme avant d'avoir été enfant.

Veena voit tout cela avec effroi sans qu'elle ait le courage d'en parler. Une compétition qui pousse Chinti vers ce danger dont elle ne soupçonne pas l'ampleur : l'appétit de Shivnath.

Veena, bien sûr, sait qu'il ne s'agit pas d'une vraie rivalité. Mais ce qu'elle ne comprend pas, c'est que, plus elle tente de la séparer de Shivnath, plus elle les rapproche. Elle voit Chinti changer, apprendre à sourire, à baisser les cils, à se dandiner, à pratiquer cet art que les femmes ont de tout temps utilisé pour séduire les hommes, et elle la voit réussir. Mais quelle beauté que cette petite fille ! Veena n'en croit pas ses yeux. Qu'elle ait pu engendrer cela, elle, la terreur de la Ruelle, l'aurait fait ricaner si elle ne rageait pas intérieurement. Que la petite chose grise, larmoyante, morveuse, qui se cachait derrière la cloison ait pu devenir *ceci* la plonge dans la perplexité. Pourquoi ? se demande-t-elle. Pourquoi faire naître la beauté là où seule la laideur peut vous protéger ? (Et encore, elle n'a pas protégé Janice.)

Il n'y a pas de réponse à cela ; peut-être la perversité du sort ?

Tout cela est voulu, pensé, pesé, réfléchi, prémédité, se dit Veena : oui, la perversité du sort.

Elle ne dort plus. Elle regarde l'enfant à ses côtés, qui ne cherche plus son sein (oh, elle la sentait faire, petite, et elle l'acceptait par fatigue, par usure, presque par indifférence et de rares fois par plaisir), qui grandit à vue d'œil, longues jambes découvertes par les robes devenues trop courtes, longs bras jetés en arrière sur la natte, long cou gracile trop pliable (combien il serait facile de poser les mains autour et de serrer jusqu'à ce qu'il se brise), et ce visage… Tout cela, pour que Shivnath ou un autre monstre l'arrache de la boue où elle est née seulement pour la plonger dans la merde des hommes ? Si vite effacé, ce bout d'existence qui n'aura mené à rien, servi à rien ?

C'est le sort de ton enfant, Veena, se dit-elle. Et elle est tentée, alors, ô combien, de l'étrangler réellement, de l'étouffer, lui fracasser la tête, tout pour lui éviter la chute qui est celle de toutes les femmes, peu importe qui elles sont, où elles sont, où leurs rêves les mènent. En tout cas, Veena ne s'imagine pas un autre destin, une autre possibilité, une autre voie. Rien ne les attend. Rien d'autre que les prédateurs.

Dans la nuit qui les entoure, qui les dévore, Veena entre dans une autre phase de sa vie de femme, encore plus terrifiante qu'avant. Sa propre enfance ne compte plus. Seule importe celle de Chinti, sa fille qui a dû se nommer elle-même parce que Veena n'a jamais voulu lui offrir un nom, sa fille maintenant livrée sur un plateau à Shivnath parce que Veena n'a pas pu ou su, à défaut d'un nom, lui donner une vie. Veena entre dans la phase de la honte. Cette honte qu'elle n'a jamais ressentie lorsqu'elle se vendait aux hommes parce que sa survie en dépendait, elle la ressent maintenant parce qu'elle seule a fait naître ce petit être et l'a livré à la gueule du monde. Cette grossesse qui lui avait offert quelques mois de répit des hommes l'a aussi rendue responsable d'une autre.

Quand Chinti est née, elle s'est dit qu'elle pouvait l'oublier, la remiser derrière sa cloison comme une chose inutile et sans importance. Il lui arrivait même parfois d'oublier son existence. Elle a eu tort. Chinti, elle commence seulement à le comprendre, Chinti est peut-être – mais osera-t-elle vraiment se l'avouer ? – sa seule chance d'amour.

Veena ne dort plus. Elle tente d'imaginer comment elle pourrait empêcher Shivnath de la lui voler. Mais elle voit Chinti devenir cette femme-enfant dont rêvent tant d'hommes, car il leur suffirait de dire que c'est l'enfant qui est responsable de sa séduction et pas eux, jamais eux, coupables de rien, pensez-vous, et personne ne les contredira, pas même les femmes. Veena sait qu'elle ne peut pas lutter contre cela. Elle ne peut pas protéger Chinti du monde entier – mais de Shivnath ?

Son corps est fatigué, son esprit épuisé. Une sorte de désolation l'emplit. Elle contemple son échec : gouffre infini.

Depuis toujours, Shivnath a eu une humble ambition : devenir un dieu.

Certes, dans son temple, les croyants s'agenouillent devant sa statue. Mais c'est parce qu'ils sont habitués à se prosterner. Pour ces adorateurs à la foi facile, sa statue a quelque chose de divin. Elle est là, présente, affable, incarnée ; nul besoin d'imaginer des êtres immatériels.

Mais lui, Shivnath, celui qui vit, marche, parle, mange, boit et défèque, il n'est pas vraiment une divinité pour eux. Il est l'intercesseur. Ils n'adorent pas Shivnath en lui-même et pour lui-même. Davantage que l'homme bien-portant qui officie dans le temple, c'est sa statue, plus grande que nature, qui se conforme à l'idée qu'ils se font des dieux. C'était donc le premier pas. La prochaine étape : être lui-même divinisé.

Et voilà que Chinti lui offre précisément cela, elle qui le regarde comme un dieu ! Plus grand que Shiva, que Vishnou, que Kali, et même plus grand que lui-même à ses propres yeux. Une adoration entière, sans questionnement et sans exigence, voilà ce qu'elle lui offre :

l'adoration des purs. Dénuée du doute qui ronge les adultes et envahit les cœurs faillibles. Il voudrait préserver cela, la mettre dans un écrin, l'adorer à son tour.

Chinti, il le décide désormais, sera l'assouvissement de son ultime ambition. Il la prendra. Il la formera. Il la façonnera. Il en fera celle qui l'adorera toujours, celle qui grandira dans la vénération de son bienfaiteur et ne connaîtra que lui. Elle lui devra jusqu'à son moindre souffle. Il sera sa source, l'origine de tout, son ultime but. Lui : divinité enfin consacrée.

Veena n'est plus qu'une distraction passagère tandis qu'il nourrit son obsession.

Comprenant que Shivnath ne vient plus que pour Chinti, Veena a décidé de lutter. Elle a recours à des stratagèmes si absurdes pour le séduire, à des gestes si dégradants qu'il ne sait plus s'il doit rire ou fuir.

Un jour, alors qu'elle se tortille comme un ver de terre sur le ventre en lui léchant les orteils, il est saisi d'un dégoût si puissant que, presque sans se rendre compte de ce qu'il fait, il ôte son orteil de sa bouche et lui flanque un coup de pied à la figure. Le corps de Veena va atterrir sur le dos un peu plus loin.

Elle ne bouge pas, non pas parce qu'elle est blessée mais parce que là, soudain, son impuissance est totale, l'humiliation parfaite. Juste après, la colère flambe en elle, une brûlure qui lui éclate la peau, qui lui ordonne de se jeter sur Shivnath et de le dépecer. Elle a les ongles pour, les dents pour, assez de force pour. Elle qui n'a jamais ployé devant qui que ce soit.

Mais l'instant d'après, elle pense à Chinti. Se dit que peut-être ce nouveau jeu amusera Shivnath quelque temps encore, avant que. Que peut-être l'ivresse de la violence lui fera oublier Chinti quelque temps encore, avant que. Ce nouvel espoir balaye à la fois l'humiliation et la colère. Veena trouve alors en elle la force des larmes qu'elle n'a jamais versées, pour lui laisser voir son entière défaite, lui livrer enfin la nudité de son âme. Elle lui ouvre le livre de Veena, livre de nuit et d'épuisement, de déflagration et d'amour. Pour Chinti, pour sa fourmi. Celle dont les pattes minuscules ont grimpé le long de son corps pour se loger définitivement dans son cœur.

— Je laverai tes pieds de mes larmes, dit-elle à Shivnath. Je suis à toi, absolument. Prends-moi.

Mais il recule, dégoûté. Il ne peut plus, ne veut plus, la regarder. Il lui tourne le dos.

— Non. Désormais, lui dit-il froidement, je viendrai uniquement pour voir Chinti. Rhabille-toi.

Veena se relève et se met à genoux, le cheveu gras, le corps et le cœur dévastés.

— Seigneur, dit-elle, je peux encore vous plaire. Je ferai tout, dites-moi ce que vous désirez !

Jamais elle ne l'a appelé « Seigneur ». Jamais elle ne lui a paru aussi indigne.

— Je n'ai pas besoin de toi, répond-il. Je considère Chinti comme ma fille. Je reviendrai pour elle.

Il s'en va sans lui consentir le moindre regard.

Une fois seule, Veena se met à trembler.

Elle doit fuir.

Partir, recommencer à zéro, se forger une nouvelle vie, même si ce sera pire qu'ici, vivre dans la boue, se nourrir dans une auge, devenir une bête de somme, n'importe quoi, n'importe qui, pourvu que les mains de Shivnath et la bouche de Shivnath et le sexe de Shivnath ne puissent jamais.

Elle ne s'avouera pas vaincue, pas encore, pas tant qu'un souffle en elle demeure. Moi vivante… répète-t-elle. Moi vivante.

Chinti s'endort en écoutant les serments désespérés de sa mère.

Mais pendant qu'elle échafaude son plan, Shivnath lui aussi prend une décision.

Le lendemain matin, lorsque Veena a terminé sa nuit de travail, et au moment où elle s'apprête à fuir, il revient.

— Kali m'a parlé cette nuit, lui annonce-t-il. Elle m'ordonne de sortir Chinti de cet environnement qui souille son innocence. Je vais l'emmener avec moi. Elle mérite mieux que toi.

Veena ouvre la bouche pour protester, mais voyant l'expression ferme et figée de Shivnath, ce regard froid qu'elle connaît si bien, elle se tait. Elle tente de gagner du temps. Elle évalue ses chances de fuir avec Chinti sans être rattrapée. Ses chances ? En d'autres circonstances, ces mots l'auraient fait ricaner.

— Demain, Swamiji, lui dit-elle humblement, elle sera prête pour vous demain.

— Non, répond-il. Je l'emmène tout de suite.

Veena ne peut plus faire semblant.

— Pas la peine de prétendre que tu es autre chose que ce que tu es, lui dit-elle, la mâchoire serrée. Va berner d'autres mais pas moi, *saint homme*. Jamais je ne te donnerai Chinti. Fille de Kali ? Si Kali veut d'elle, qu'elle passe sur mon corps pour la prendre ! Je n'hésiterai pas à te tuer avant. Ça, je peux te le jurer !

Shivnath sourit, content de la voir tomber le masque.

— Ma pauvre Veena, peux-tu vraiment m'en empêcher ?

— J'ameuterai toutes les femmes de la Ruelle. On ne te laissera pas faire !

Le rire de Shivnath est franc et joyeux.

— Ce qui est bien avec toi, dit-il, c'est qu'on ne s'ennuie pas ! Mais tu as oublié que les femmes de ton genre ne gagnent jamais.

Il appelle Chinti, qui arrive aussitôt. Il s'agenouille devant elle, lui, le grand homme.

— Ma chère petite, dit-il, ma tendre enfant. Je voudrais t'emmener chez moi, où tu seras traitée comme une princesse. Tu ne seras plus jamais pauvre. Veux-tu venir avec Tonton Shivnath ?

Chinti a un sourire de triomphe absolu. Incapable de répondre tant le bonheur l'envole, elle se précipite dans son abri. Veena a un instant d'espoir. Chinti refuserait-elle de partir ? Mais la voilà qui revient, portant ses plus jolis vêtements. Dans ses cheveux, Veena reconnaît les papillons de Bholi.

— Chinti ! appelle-t-elle.

Le monde de Veena et de Chinti se brise ici. Veena tend la main vers sa fille. Chinti est étonnée de voir ce désespoir qui défigure le visage de sa mère. Jamais elle ne l'a regardée ainsi. C'est Veena, et c'est une autre : la mère aimante qu'elle n'a jamais connue. C'est Veena, sans caresses, et c'est une autre : avec une prière dans les yeux.

— Chinti… dit Veena.

L'enfant ne sait plus quoi faire. Sa mère, pour la première fois, semble vouloir d'elle. Mais elle voit ce corps trop nu, ce visage dévasté, ces mains tordues, cet être ravagé, tandis que Shivnath, debout à ses côtés, respire la fraîcheur et lui offre une sécurité et un bonheur qui n'appartiennent pas à la Ruelle.

Alors, elle glisse sa main dans celle de Shivnath. Ils commencent à s'éloigner.

Veena se précipite et saisit le bras de Chinti, mais trop rudement, trop fort, elle lui fait mal, Veena ne connaît pas le langage de la tendresse, ne mesure pas l'étendue de sa rage. Chinti se dégage et se rapproche de Shivnath, qui la soulève dans ses bras, et, rayonnant, triomphant, emmène Chinti vers sa nouvelle vie.

Aucun des deux ne regarde en arrière.

Veena est à genoux dans les flaques d'eau de la Ruelle. Pour une fois, elle ne maudit pas la pluie. Aucune mousson ne saurait égaler l'orage éclaté en elle. Elle ne voit plus que sa fille partant, radieuse, dans les bras de cet homme.

Veena est à genoux devant les fantômes de ses choix. Ils ont tous son propre visage.

Enfin, enfin ! La maison de Shivnath dépasse de loin tous les rêves de Chinti. Rien de ce qu'elle a connu jusqu'ici ne l'a préparée aux marbres et aux ors, aux coussins moelleux et aux soieries. Elle se croit transposée dans un film de Bollywood. Car Shivnath vit dans la plus magnifique opulence. À l'abri du regard de ses ouailles, il se livre à des excès que personne ne devine.

Dans le secret, il s'est construit un lieu entièrement dédié à son plaisir, parfait reflet de ses contradictions. Il aime autant les matières nobles que les femmes perverses, la nourriture exquise que les odeurs malsaines. Il se pense au-dessus de tous. Les gens du commun se débattent avec leurs besoins et leurs manques, mais lui a tout à sa portée. Rentrer chez lui après être passé par la Ruelle décuple son plaisir. Autrefois, après avoir vu Veena, il tardait à se doucher pour continuer à sentir sur lui ses odeurs, avant de se plonger dans le parfum d'essences florales qui emplit sa maison et de s'asperger d'eau de toilette coûteuse.

Mais pour parfaire son bonheur, il lui fallait Chinti ; son adoration entière, sa fragilité, sa joie.

Il savoure la présence de ce petit oiseau tombé entre ses mains. Avant de la posséder, il la chérira, il prendra son temps. Il a besoin de sa pureté. Il s'installe dans un divan confortable et la regarde découvrir son paradis. Ses rires et ses pas résonnent dans toute la maison. L'écoutant, il glisse la main sous son *dhoti*. Ah, Chinti, Chinti… soupire-t-il. Petite Fourmi.

Chinti, elle, vit tous les rêves de toutes les petites filles.

Si Shivnath n'a jamais eu d'épouse jusqu'ici, c'est qu'il juge celles de sa caste et de son rang trop corsetées par les principes. Leur peau est une armure métallique et leurs yeux une surface vitrée que ne touche aucune tentation (ou qui les dissimule trop bien). Il a longtemps cherché, mais tout ce qu'il ressentait à leurs côtés était l'ennui. Jusqu'à ce qu'un jour il s'aventure dans la Ruelle. D'abord par curiosité. Ensuite par obsession.

La Ruelle est l'enfer dont il a eu besoin pour mieux jouir de son paradis. Et les femmes ! Ah, pas de règles, pas de faux-semblants, pas de pureté factice. Elles jouent, certes, à être tout ce que l'on veut, l'épouse vierge, la fillette rieuse ou la vieille carne, mais elles ne nient jamais ce qu'elles sont : rien.

Rien, moins que poussière, moins que fange et que merde. Rien qu'un corps en attente de sa décomposition, créé pour satisfaire les besoins primaires. Simple véhicule de la perversité humaine.

C'est peut-être cela qui le fascine tant : cette simplicité. Tout le contraire de la grande majorité de ses compatriotes qui, entre castes, religions, langues, argent, sexe, convictions et jalousies, sont comme ces crapauds du Bihar dont la blague dit qu'il n'est pas nécessaire de poser un couvercle sur la boîte après qu'ils ont été capturés : ils sont tous trop occupés à tirer vers le bas ceux qui veulent s'échapper. Personne ne peut s'en sortir, sauf une infinie proportion. Les Indiens, de même, sont occupés à marchander leur vie avec les divinités, célestes et terrestres, qui les gouvernent. Tout acheter, tout monnayer, le peuple le plus spirituel et le plus matérialiste qui soit. La simplicité, ils ne connaissent pas. Chaque rapport humain est une négociation, nul n'est un individu en soi, la communauté est leur force et leur faiblesse.

Mais pas pour les femmes de la Ruelle. La société les a depuis longtemps rejetées. Alors elles s'accrochent à la vie avec une férocité qui a surpris Shivnath, la première fois. Et, il doit l'avouer, une fierté aussi, celle d'être ce qu'elles sont et rien d'autre. Pas de faux-semblants, pas de faux-fuyants. Nous sommes ce que nous sommes. Notre corps dit ce que nous sommes.

Dans la Ruelle, la religion ne peut proférer ses mensonges. Si elles croient, c'est avec une passion absolue, qui n'a aucun rapport avec leur mode de vie. Si elles ne croient pas, c'est avec la même passion et un dédain pour tout ce qui asservit leurs pareilles. Jamais il n'a connu une telle intégrité. Jamais il n'avait imaginé la découvrir en un tel lieu.

Or, Chinti est en mesure de lui offrir l'accès à ces deux mondes. Elle est le produit de la Ruelle, faite de la chair des femmes. Mais elle est encore une enfant, touchée par l'innocence divine. Et, surtout, elle est à lui. Entière. Pâte à malaxer. Beauté à admirer. Fruit à goûter.

Il se rend compte tout à coup qu'il ne l'entend plus. Une angoisse le saisit. Où est-elle ? Se serait-elle enfuie ?

Il la cherche. Elle n'est pas dans le salon, ni dans les toilettes, ni dans la salle de bains, ni dans l'une des chambres où il aurait espéré la voir endormie. Finalement, à bout de souffle, il sort de la maison et court vers le temple.

C'est là qu'il la retrouve. Debout, les yeux écarquillés, devant la pièce qui lui est réservée à lui, celle où se trouve sa statue. Il se tient derrière elle et tente de voir ce qu'elle voit : la statue en marbre de Shivnath, immense, le front austère, l'expression douce et forte à la fois, le nez fin, la bouche une énigme. Ainsi figé dans le temps et l'espace, il semble véritablement divin, planant, comme toutes les divinités, bien au-dessus des piètres considérations des hommes.

Chinti, figée, contemple la statue avec un effarement d'enfant devant une manifestation surnaturelle.

Sentant la présence de Shivnath derrière elle, elle lève les yeux vers lui :

— Êtes-vous un dieu ? demande-t-elle, la voix tremblante.

Il ne répond pas, mais sourit benoîtement.

Alors, elle se prosterne.

À des kilomètres de là, Veena, elle aussi, se prosterne.

Elle revoit Shivnath, tenant dans ses bras sa petite fille, sa Chinti, vêtue de ses jolis vêtements, un bout de son écharpe traînant dans la poussière. Ils partent sans un regard pour elle.

Elle est à terre, couverte de bleus et de violets et de rouges, anéantie par sa défaite, prostrée de désespoir.

Ce qu'il compte faire de Chinti, elle ne le sait que trop bien. Rien n'effraie Shivnath. Rien ne l'arrête. Il a tous les droits. Il ne la lâchera pas tant qu'il n'aura pas tout pris d'elle, aspiré le suc de sa chair, sucé à blanc ses os. Après seulement, après, il la ramènera. Il la jettera dans la Ruelle, petit paquet de vie dont il aura consommé la moelle. Il la donnera à la mère maquerelle et lui dira d'en faire ce qu'elle veut. Il paiera pour la virginité prise. Mais celle qui reviendra ne sera pas Chinti.

Sa Chinti. Celle qu'elle n'a traitée que comme une présence dérangeante, celle envers qui les autres femmes de la Ruelle ont témoigné plus d'affection que sa propre mère. Elle se souvient du chagrin de Chinti lorsque Bholi est morte, comment les autres l'habillaient et la coiffaient comme une poupée alors que Veena, elle, la fagotait dans des tenues immondes, et comment, récemment, elle est devenue plus gracieuse après avoir été remarquée par les hijras du coin. Même les hijras, cette communauté dont l'identité est incompréhensible pour Veena, lui ont témoigné plus d'affection qu'elle !

Aucune punition ne lui semble suffisante pour cela, sauf la mort.

Mais sa mort à elle ne sauvera pas Chinti. Ce qu'elle doit faire, c'est l'arracher à Shivnath. Et en profiter pour lacérer les joues lisses et déchirer cette peau qui sent si bon les fleurs et le bois de santal dont il s'enduit. Tout effacer, tout éradiquer de cet homme qui est sa malédiction !

Depuis que Chinti est partie, elle ne pense plus qu'à une chose : comment briser la chaîne qui les retient toutes dans leur fosse de boue ? Est-ce même possible ?

Oui, se dit-elle, oui, cela doit être possible. Possible de prendre un autre envol, hors de l'emprise des mâles, les maîtres absolus de leur destin. Et, s'il le faut, bouleverser la terre et le ciel et l'enfer pour que Chinti ne soit pas condamnée, à dix ans, au même devenir, aux mêmes brûlures.

Veena se remet debout. Oui : possible. Même si le premier pas sera le plus difficile.

Grondant comme une chienne enragée, Veena sort dans la Ruelle. Le premier pas est fait.

TROISIÈME PARTIE

Veena

Depuis la terrasse de la Maison, j'ai tout vu. J'ai vu Shivnath emmenant Chinti avec la superbe de celui auquel rien ne saurait être refusé, celui auquel la terre elle-même appartient puisqu'il a l'appui des dieux, celui devant lequel tant de gens se prosternent qu'il prend leur adoration pour son dû.

Il est sorti de la cellule de Veena, enjambant la marche de brique en relevant le bord de son *dhoti* blanc. Le pied chaussé d'une mule en cuir s'est posé sur le sol comme s'il marchait sur un nuage. Il portait Chinti dans ses bras : un trophée. La Ruelle semblait en suspens. Le temps arrêté. Tous ont compris que c'était le point de non-retour.

Mais qui oserait s'interposer, contrecarrer la toute-puissance de Shivnath ?

Un homme saint, une enfant issue d'une ruelle maudite. Aucun trait d'union entre. Aucun, sauf ce qui, depuis toujours, unit le mâle à la femelle. C'est cela qui nous gouverne. Ici, dans la Ruelle, aucune illusion : le sexe est le moteur de notre monde et du monde. Et la sainteté des hommes (et des femmes) est toute relative.

Je saisis mon écharpe, m'en recouvre les épaules et sors pour une fois sans me préoccuper de mon maquillage ni de mes cheveux. J'ai l'intention d'aller trouver Shivnath, dire au monde ce qu'il est vraiment, cet homme qui n'a qu'à tendre la main pour qu'une enfant tombe dans sa paume comme un fruit mûr, bientôt pourri. Je ne peux pas le laisser triompher. Chinti m'est trop précieuse.

Dans la Ruelle, tous les yeux sont braqués sur moi. J'hésite, étonnée de cette attention. Ils semblent attendre quelque chose.

Je sais combien Chinti a marqué la Ruelle. Nous nous sommes accrochés à elle comme à notre ultime espoir.

Je les salue, ces gens qui m'ignorent d'habitude et qui se tournent aujourd'hui vers moi.

C'est là que je rencontre Veena. Elle semble avoir la même intention que moi. Je l'arrête.

— Veena, attends. Que comptes-tu faire ?

Elle me regarde, hostile.

— De quoi tu te mêles ? demande-t-elle.

— Je veux t'aider.

Son regard est plus méfiant que jamais.

— Tu ne peux rien pour Chinti. Ça n'a rien à voir avec toi.

— Je l'aime comme ma fille, lui dis-je.

Elle ricane :

— Shivnath aussi l'aime comme sa fille. Combien de pères a-t-elle ? Et combien de mères ? Mais qu'avez-vous tous fait pour elle ?

— Je suis ta seule alliée. Tu n'en as pas beaucoup. Alors, tu veux mon aide ou tu vas l'abandonner ?

Nous sommes debout, face à face, dans la Ruelle. Elle, la mère de Chinti, et moi, sa protectrice. Va-t-elle me refuser ce droit ? Fera-t-elle passer sa fierté avant Chinti ?

En voyant ses mains qui tremblent comme si elles étaient sur le point d'être arrachées par le vent, ses mains qu'elle tente de cacher sous son sari noué à la hâte, je ressens une immense pitié. Sous la dureté et le cynisme, il y a une femme terrifiée. Son maquillage a coulé autour de ses yeux et de sa bouche, ses vêtements pendent de tous les côtés, le rebord de son sari est maculé de boue. Mais les yeux de Veena ne trompent pas. Ils sont noyés de regrets, enfouis sous des années de déni. Ce sont les yeux de celles qui croient être revenues de tout mais qui ne se sont remises de rien. Veena ne tient debout que par un effort de volonté. Chinti, sans qu'elle le sache, a été son miracle à elle aussi.

— Je veux le détruire, me dit-elle. Je veux détruire Shivnath. Es-tu prête à m'aider ?

Je n'hésite pas.

— Oui.

Dans les yeux de Veena s'éveille alors la guerrière qui l'a maintenue debout tout ce temps, sa fureur intacte.

Elle n'a jamais abandonné. Elle a beau avoir été enterrée vivante, elle refait toujours surface.

— Nous ne sommes pas si différentes, lui dis-je.

Mais je sais que l'accueil que j'ai reçu dans la Maison n'était pas comparable à celui qu'on lui a réservé dans la Ruelle. J'ai connu l'amour. Celui de notre Guru, de Réhane, des autres hijras. Nos rires, nos douleurs, nos mains liées. Nous savions toutes ce que vivait l'autre. Mais les prostituées ? Elles sont rivales, dangereuses, prêtes à se déchiqueter malgré le semblant de solidarité qui ressurgit, une fois les hommes partis. Veena n'a vu le monde que derrière un grillage hérissé de barbelés. Elle a voulu apprendre à Chinti à devenir dure comme cette ferraille acérée, mais ce n'est pas sa faute. Elle n'avait aucun autre recours.

— Il est trop tard pour aller trouver Shivnath aujourd'hui, Veena, lui dis-je. Il aura barricadé sa maison et refusera de nous entendre. On ira ensemble, demain matin.

Elle regarde autour d'elle et voit les femmes debout devant leur porte, brillantes, brûlantes, toutes emplies de la même fureur qu'elle. Un peu plus loin, devant la Maison, les hijras aussi se sont rassemblées. Toutes attendent notre décision.

— Pour Chinti, je murmure.

Veena hésite encore.

— Mais ce soir… cette nuit… Il va…

— S'il doit le faire, il n'aura pas besoin d'attendre la nuit. Mais il attendra. Il prendra ses précautions. Il doit penser à sa réputation. Si nous nous précipitons, ses fidèles le défendront et nous aurons perdu.

Elle vacille, épuisée, dévastée. Mais elle ne tombe pas.

— Demain, alors… dit-elle. Demain, nous irons.

Le monde tourne autour de Chinti. La planète Shivnath est en orbite autour d'elle.

Chinti, savourant des mets auxquels elle n'a jamais goûté jusqu'ici. Goûtant au *lassi* à la mangue qui laisse une mousse dorée autour de ses lèvres. Dévorant les *pakoras* aux oignons et aux aubergines qui maculent ses doigts d'huile. Mordant les *puris* qui grésillent et gonflent comme des coussins d'air. Chinti, la bouche maculée de gras, de sucre, de miel. De sang.

Chinti, qui n'a jamais été lavée qu'accroupie sous un robinet d'eau froide ou à l'aide d'un seau et d'un gobelet en plastique, découvre les merveilles de la plomberie moderne. Elle prend le pain de savon à l'odeur de lavande qu'un dévot de Shivnath lui rapporte chaque année, religieusement, de France, et le fait mousser si longtemps sur son corps que sa peau en est toute fripée. Puis elle sort du bain nue, sans aucune honte, parmi des effluves de lavande et d'enfant. Choisit une jupe, une blouse, une écharpe, et les enfile, les yeux brillants, devant le miroir. Voit dans son reflet l'effet qu'elle a sur Shivnath.

Elle. Chinti. Petite fourmi devenue grande.

Le monde est à sa portée. Elle est passée de l'enfer au paradis. Elle flotte, danse, se laisse envahir par un sentiment de bien-être qui la persuade qu'elle ne doit jamais partir d'ici, qu'elle fera tout pour que Shivnath ne la renvoie pas à la Ruelle. Pas là-bas, surtout, pas dans cette crasse, avec ces odeurs de corps pourris, la maigre nourriture, la natte élimée, le refuge derrière la cloison qui lui semble maintenant une prison aux rêves bancals. Pas là-bas, pour recevoir les gifles de Veena et ses mots durs, pour vivre auprès de cette femme d'os et de ferraille qui a été tout sauf une mère, moins que Bholi et moins que Sadhana, qui lui a donné la joie.

Mais au même instant lui revient en traître la sensation de se blottir contre sa mère, chair chaude, souffle ardent, présence souveraine, nécessaire. Elle la chavire, la submerge. Veena… Ses bras sont vides. Vides de Chinti ?

Elle se met à trembler. Les larmes débordent, le nez coule. Elle s'effondre, petite masse loqueteuse malgré ses beaux habits et ses bijoux aux oreilles et au nez.

Shivnath, stupéfait, craint un empoisonnement, une maladie foudroyante, n'importe quoi, car la crise de pleurs est arrivée sans prévenir.

Il la soulève et l'emmène dans la chambre attenante à la sienne. Il la borde, lui essuie le visage, lui caresse les cheveux. Elle semble se calmer un peu et lui saisit la main :

— Ne m'abandonne pas.

— Ma petite, ma tendresse, répond-il, tu es en sécurité ici, tu es avec moi, je ne te quitterai pas.

Elle la serre très fort, sa main. Elle pose sa joue lisse dans la grande paume de l'homme. Elle le garde auprès d'elle en s'endormant. Shivnath passe la nuit assis à côté d'elle, rempli d'un désir sublime.

Le lendemain matin, il sait qu'il ne pourra pas attendre plus longtemps. Il voit les regards lourds des serviteurs, qui ne tarderont pas à répandre leurs ragots. Il leur dit que Chinti est une petite nièce orpheline, venue de son village, qu'on lui a confiée, et à leurs yeux baissés et leurs mines sournoises, il comprend qu'ils ne sont pas dupes. Il n'aime pas la manière dont ils observent Chinti ; comme une fourmi qu'ils rêvent d'écraser sous leurs sales pattes.

Il prend son petit déjeuner sans y goûter vraiment, tandis que Chinti, remise depuis la veille, dévore tout. Finalement, il cesse de manger et la contemple.

Que peut-il faire d'autre, le pauvre ? Pour l'instant, seul son regard peut la posséder. Patience, Shivnath ! Patience ! lui conseille sa tête. Mais son corps n'obéit pas.

La lumière coule sur elle, sa peau, son front, ses mains, la caresse, la voile d'or. Tout ce que Chinti touche brille. Cette cuillère. Cette fourchette. Ce gobelet. Cette crêpe au miel.

Sur Chinti, la lumière est une épaisse coulure, une cascade dont on ne voit pas l'origine, ou alors peut-être est-ce elle, l'origine, la source véritable, tout par elle illuminé, et c'est pour cela qu'il ressent, lui, Shivnath, un émerveillement tel qu'il doit s'agenouiller.

— Tu es ma déesse, dit-il.

Et c'est là, aussi simplement que cela, dans ce geste d'adoration, que lui est offerte la solution.

Pour comprendre ce qui se passe, il faut savoir que les rebuts de la société que nous sommes, nous, les prostituées et les hijras, n'avons aucun pouvoir de décision. Pour les autres, nous sommes un mal nécessaire mais rien de plus. Si on tue une pute ou une hijra, la police ne se fatigue pas à faire une enquête et à arrêter le coupable (parfois, ce sont les policiers eux-mêmes qui nous tuent). C'est un parasite de moins, se diront-ils. Nous subsistons dans cet entre-deux où personne ne nous donne rien. Tout ce que nous avons, nous le payons de notre corps.

Si vous n'avez pas connu la lame chauffée à blanc, vous ne saurez pas combien la vie des hijras est portée par la violence, par le refus. Cela se lit sur nos visages fardés, la belle âpreté de nos traits. Le sari qu'il nous faut mériter. La chevelure que nous traitons comme notre bien le plus précieux. Le soir venu, nous nous coiffons ensemble sur le pas de la porte, alanguies, fatiguées, silencieuses, et le peigne dans nos cheveux est une musique que nous seules comprenons. Nos chants nous parlent d'acceptation.

Accepter cette faille où nous sommes logées, celle où tous les exilés finissent par se retrouver. Car il y a tant d'exils possibles. Celui-ci est le nôtre : l'enfant auquel on refuse le droit de danser, le jeune homme que l'on frappe à cause de ses articulations fragiles et de ses yeux trop doux, l'homme mûr qui n'a jamais été un homme et qui ne cherche pas à se cacher sous ses habits féminins et son masque de maquillage mais qui, au contraire, se révèle ainsi au grand jour, tel qu'en lui-même. Seulement, pour parvenir à cela, il doit accepter d'exister dans cette faille, dans cet entre-deux, même si le monde lui devient alors inaccessible et étranger.

Ce choix nous permet de survivre. Les hijras sont, aux yeux de certains, protégées par une onction divine. Lorsqu'il vient aux autres une envie de violence, ils doivent se cacher et n'ont pas le droit de nous tuer impunément, même s'ils trouvent toujours le moyen de le faire. Mais leur plus grande vengeance, c'est de nous repousser le plus loin possible, nous reléguer dans un lieu qui touche à peine le leur, de faire de nous des invisibles à force d'être trop visibles et de nous condamner à survivre en frôlant sans cesse notre mort.

C'est pour cela que nous remplissons notre vie de chants et de danses. Nos voix sont toujours prêtes à s'élever comme si elles pouvaient rompre le silence qui nous entoure depuis notre naissance ; mais il y a trop de cris à l'envers de notre peau.

Les gens nous disent : faites les clowns dans vos saris bariolés, jetez-vous à corps perdu dans votre mascarade de féminité, déhanchez-vous comme des sauvages et nous accepterons votre présence par l'aumône que nous vous jetons. Mais qu'on n'entende aucune voix contraire ni aucune plainte ni aucune révolte car vous n'y avez pas droit. Surtout pas à un quelconque statut dans notre société si parfaitement ordonnée.

Nous sommes en voie de disparition. Notre communauté se réduit à mesure que les plus jeunes cherchent d'autres chemins. Bien sûr, il y en a, et c'est bien ainsi. Mais nous avons quelque chose de plus : un mystère, une existence hors du monde que nous seules pouvons comprendre. Une sorte de magie. C'est dit dans le *Mahabharata* : nous sommes moitié femmes, moitiés divines. Et les dieux sont tous doubles. La poésie des corps, nous la comprenons, nous les hijras. Elle nous habite, elle nous enchante. Elle nous ouvre une dimension autre.

Lorsque Chinti est entrée dans notre vie, elle, plus que tout, nous a fait entrevoir un avenir, une chose impossible : notre propre continuité.

Réhane et moi avons rêvé de l'adopter, riant un peu de notre stupidité, mais y croyant malgré tout, malgré nous. Elle, pour oublier un instant la maladie qui la rongeait, moi pour oublier qu'elle était en train de me quitter.

Parfois, quand Réhane était particulièrement épuisée, je disais à Chinti, danse Chinti, danse sur la chanson *Jhumka gira re*, danse pour Réhane, et elle enfilait ses *ghungrus*, les clochettes des danseuses, et elle posait un voile transparent sur ses cheveux, et la voilà partie comme un petit moteur, tournant, tournant sur elle-même, ses mains virevoltant et ses pieds touchant à peine terre, ses cheveux esquissant leur propre danse autour de sa tête, et nous la regardions, subjuguées par tant de légèreté.

Ce n'était plus une danse mais *la* danse. Ce n'était plus elle, c'était moi et c'était Réhane et c'était notre chemin de liberté qu'elle nous offrait ainsi. Me revenait alors cette sensation que j'avais quand, enfant, j'enfilais des jupes longues et me déhanchais. Je l'avais connue aussi, cette liberté, cette joie sans ombre, cette même innocence. Mais Chinti n'était pas innocente, nous le savions, c'était chose impossible dans la Ruelle, ce savoir-là naissait avec le premier regard et le premier cri. Alors, comment faisait-elle ?

Bientôt, nous cessions d'y réfléchir pour nous laisser emporter. Elle avait ce pouvoir-là, Chinti. Et peut-être d'autres encore.

Réhane finissait par sourire, puis par rire. C'était cela que nous attendions, Chinti et moi : que le rire efface ses douleurs.

À la fin de la danse, Chinti se jetait sur le lit, entre nous deux, et elle demeurait ainsi, tranquille, contente, et nous aussi, tranquilles, contentes, d'avoir celle qui aurait pu être notre fille à nous, avec son odeur d'enfant et de soufre. Une trêve dans cette Ruelle folle.

Puis, les bruits recommençaient à retentir dans la nuit. D'abord l'appel des femmes comme des oiseaux nocturnes lançant leur cri vers quelque mâle aux aguets. Puis l'arrivée des hommes-rapaces aux visages anonymes, quelconques, terrifiants. Le bref murmure de l'accord et enfin la symphonie des grognements et des plaintes factices, avant que ne s'élèvent les vrais hurlements de douleur lorsque l'huile rance du matin se glissait entre les jambes.

C'était toujours la même musique discordante. Notre musique à toutes, la musique des déshérités disent certains, sauf que c'est faux, nous ne sommes pas déshéritées, nous n'avons jamais rien possédé. Nous sommes nées nues et moins que nues, déguisées et déformées par notre peau et nos organes, emprisonnées dans un sexe que nous n'avons pas choisi, et ce pays, ô dieux, ce pays, il n'est là que pour nous assassiner avec ses règles obscènes dont ne peuvent s'échapper que les riches et les bien-nés, il condamne l'immense majorité de cette immense multitude à se démerder comme elle peut, et il pousse la couche finale, la plus basse, celle qui n'a aucun pouvoir, à disparaître dans les interstices, dans les fentes, dans les trous d'égout pour embrasser son destin : la chute éternelle. Intouchable, transsexuelle, lépreuse, mère célibataire, enfant difforme, la lie est infinie et l'on trouve toujours plus bas que soi.

Ces moments avec Chinti nous permettaient d'oublier la cacophonie de ce pays. Elle avait quelque chose de miraculeux, cette enfant qui était aussi une brèche, un espoir, une lumière.

Une enfant qui *était* lumière.

C'est pour cela que je n'ai pas eu le choix : il fallait que j'aide Veena à la protéger, à protéger cette lumière. Mais le lendemain, lorsque nous sommes allées au temple de Shivnath, nous n'avons rien pu faire.

Notre monde tourne autour de l'invisible. Au cœur de tout, il y a un vide : l'énigme qui est notre origine et notre fin. Celle que nous cherchons à tout prix à percer sans comprendre que c'est impossible.

Mais vivre en faisant face à ce vide nous est aussi impossible. Il nous faut alors tenter de le remplir d'êtres invisibles, forgés de toutes pièces par notre imagination, dieux, saints, anges, démons, sorcières ou esprits, bref toute une ménagerie qui peuple notre tête et nous promet autre chose que la mort tandis que notre corps, lui, est occupé à mourir. C'est bien cela qui nous pousse à nous traîner dans la poussière, à nous flageller, à faire dix génuflexions ou à marcher sur des braises pour prouver notre sincérité et notre pureté d'âme. Tout cela pour que nous ne puissions comprendre que tout est de notre propre fait, vivre comme mourir, aimer comme haïr, donner la vie comme la prendre – ta main qui tient le couteau n'a jamais été aussi libre, comprends-le bien, ô guerrier qui prétends obéir aux dieux !

Shivnath, lui, n'éprouve aucune crainte face au vide : ses croyances sont aussi fausses que la statue à son image dans son temple. L'on aurait pu penser qu'il craindrait de proférer, ne serait-ce que dans sa propre pensée, de telles hérésies, mais ce n'est pas le cas. Non, il sait que lorsqu'il mourra, ce qu'il ressentira, ce sera le bois brûlant autour de son corps, et le feu qui le consume, et les étincelles qui l'éclairent une dernière fois tandis que sa peau fond comme du beurre et sa chair comme un sirop amer. Il sera ce corps pris dans une danse macabre à laquelle ceux qui le regardent seront totalement indifférents. Rien de plus.

Et donc, sachant sa fin, sa futilité, sa finitude, il peut y faire face sans avoir à se cacher et l'assumer avec la plus grande certitude : nous ne sommes pas faits pour être bons. Nous sommes mauvais dès la genèse, êtres retors, impulsifs, pervers, égocentriques, et même ceux qui croient faire le bien le font pour des raisons égoïstes – pour s'acheter un paradis, racheter une faute, se réhabiliter à leurs propres yeux. Il n'y a rien de plus faux que la sainteté des hommes dits saints, et ça, Shivnath ne le sait que trop bien. (Les êtres vraiment saints ne le crient pas sur tous les toits, ils risqueraient de mourir sur une croix.)

Les êtres comme Shivnath sont des œufs qui ne se révèlent pourris que lorsqu'on en brise la coquille. À l'extérieur, ils semblent sains. Ils ont la couleur sablée, noisette ou très blanche des beaux œufs de poule, parfois tachetés par quelque pigmentation fortuite. Mais si on brise l'œuf parfait d'un seul petit choc sur le côté, voilà que l'odeur d'acide sulfurique s'élève et une bave verdâtre s'écoule. L'œuf impeccable se révèle pourri, il empuantit l'air, tout est contaminé.

Voilà ce que sont les hommes qui se disent saints : des œufs pourris mais exquisément blancs, d'une pureté qui ne fait que cacher la corruption intérieure ; sainteté à l'odeur d'égout. La supercherie est merveilleuse. Shivnath baigne dans l'adulation de ses ouailles, même si sa main levée en bénédiction est prompte à gifler le corps accroupi devant lui, et personne ne pourra rien lui dire parce qu'ils sont tous aveugles. Il peut prêcher la bonne parole et instiller son venin de haine et de culpabilité et de honte pour apprendre aux hommes à obéir, obéir encore aux préceptes et aux règles, craindre les châtiments et se croire choisis, seule chance de paradis, et obéir, obéir encore, seul espoir pour réchapper au massacre, obéir comme unique mode de vie, comme unique recours. La connaissance vient des livres sacrés et de rien d'autre, dit-il, et seuls les hommes saints savent les lire et les interpréter. Assurer leur subjection : plaisir du sacerdoce.

Même les dictateurs n'ont pas cette impunité morale, car leurs sujets se soumettent par peur. Aux hommes de dieu, on se soumet par choix, avec la confiance hébétée des imbéciles, avec l'absence de libre-arbitre d'esclaves consentants. Shivnath sait qu'il peut faire ce qu'il veut sans craindre la révolte.

Son éducation, pourtant, a été bonne. Ses parents étaient des gens vertueux, mais fourvoyés. Ils avaient exactement les mêmes convictions que ses fidèles. C'est-à-dire que naître dans la caste des Brahmanes leur offrait une belle destinée, les rendait supérieurs aux autres castes, les plaçait d'emblée à un rang privilégié d'où aucun acte répréhensible, aucune déficience physique ou mentale, ne pourrait les faire dégringoler. Pour eux, seule la naissance était source de mérite.

Ils ne savaient pas que Shivnath avait parfaitement compris les avantages de ce métier, et qu'il avait vu ce que son père ne voyait pas : l'étendue du pouvoir qui lui était offert. Mieux que quiconque, il a su percer le cœur des hommes, leurs attentes et leurs limites.

Il a réussi au-delà de ses espérances. Le temple modeste hérité de son père a grandi avec lui. Les foules s'y sont pressées. Elles ont répondu à l'appel de Kali, l'appel aux armes, pour une Inde vengeresse. C'est un juste retour des choses après des siècles d'invasion, clament-ils. Depuis quelques années le parti au pouvoir les encourage. Du coup, Shivnath est devenu l'homme le plus important et le plus influent de la ville. Il a été libéré de toute contrainte.

Il n'a donc eu aucune crainte à s'offrir Chinti.

Enfin, s'offrir… Non, c'est elle qui est venue à moi, se dit Shivnath, c'est elle qui s'est emparée de moi. Elle est une enfant, certes, mais plus femme que toutes les femmes que j'ai connues. Miracle de féminité, l'apogée de mes désirs. J'ai possédé des femmes fortes comme Veena ou laides comme Janice ou stupides comme Bholi.

J'ai aussi connu des femmes d'une très grande beauté, venues prier pour je ne sais quoi, le plus souvent pour un enfant, mais parfois aussi pour le travail de leur mari ou la guérison de leur mère. Je les prenais par la main, je leur disais que cela exigeait une très grande offrande. Votre ventre est fermé au don, leur disais-je, mais la divinité va se charger de vous ouvrir au miracle du partage et de la rencontre. Venez, venez. Et elles venaient. Certaines en toute innocence, d'autres en sachant ce qui les attendait mais elles préféraient me croire plutôt que d'affronter les yeux accusateurs de leur mari et de leur belle-mère. Au moins, elles auraient fait ce qu'il fallait, ce qu'elles pouvaient, même si cela impliquait d'être touchées, caressées, voire pénétrées par l'homme saint qui murmurait des prières tout en les possédant, prétendant que ce n'était pas lui mais le *lingam* de Shiva qui les ensemençait. Qu'est-ce qu'il a bon dos, le *lingam*, qu'est-ce que je n'ai pas fait passer en son nom ! J'aimais tant voir leurs yeux s'ouvrir grand lorsqu'elles recevaient ma semence divine.

Divine semence dans des corps asservis, rien ne lui a été refusé.

Mais Chinti.

Elle est hors. Animale et humaine, innocente diablesse. Face à elle, Shivnath se sent humble, comme face au plus grand des mystères. Avec elle, il commence à se dire que, peut-être, il y a quelque chose qui nous dépasse, qui n'est ni bon ni mauvais, mais si différent de notre nature humaine qu'on ne peut le comprendre, seulement l'appréhender. Une autre sorte de philosophie. Le vide et la futilité sont le destin des faibles. Mais Chinti lui a fait entrevoir une autre dimension où les forts pouvaient devenir plus forts en se saisissant de l'invisible.

C'est cela qu'il cherche : sonder les vrais mystères, loin des fausses réponses que les religieux sont forcés de donner pour faire croire à leur pouvoir et à leurs connaissances. Toucher, pour une fois, à un miracle véritable. Pourquoi cela ne lui serait-il pas permis ? Le monde est offert à ceux qui savent prendre. Ceux qui se vautrent dans leur fange et tentent de toucher à la vie par le petit, par l'infime, par l'infâme, ceux-là ne méritent rien d'autre que ce qui les attend. Quelques-uns seulement, visionnaires peut-être, peuvent saisir à pleines mains l'offrande de l'inconnu, et piétiner tête haute le chemin des vertus.

Être statufié et adoré par les imbéciles ne lui suffit plus. Il doit avoir une vestale entièrement dédiée à son être, à sa grandeur, à ses désirs. Et pas n'importe laquelle : celle qui porte en elle autant la souillure que la pureté.

Malgré ses dialogues intérieurs, Shivnath est assez lucide pour savoir qu'il tente ainsi de justifier le sortilège Chinti, les raisons de cette fascination qu'il n'a pu maîtriser, au risque de se trahir au regard de ses fidèles. À leurs yeux, son obsession ne doit pas être réduite à une attirance malsaine. Chinti ne doit pas être vue comme une enfant ordinaire : elle doit devenir une déesse.

Une déesse issue de Kali et de Lakshmi à la fois, une *yoni* – pour une fois ce vagin serait adoré au même plan que le *lingam* – qui se devait de rencontrer un *lingam* tout aussi puissant.

Nous sommes faits l'un pour l'autre, crie Shivnath dans la solitude de son temple. Viens, ma Chinti, viens !

Et, dans son imagination, elle vient.

Cette nuit, il a fait sonner les cloches du temple sans arrêt. Elles ont sonné, sonné, se sont entrechoquées, battues, harmonisées. Il s'est baigné, récuré, parfumé à l'essence du bois de santal, puis encore baigné, récuré, parfumé, huilé, jusqu'à avoir la même odeur, exactement, que les divinités de son temple. Ses longs cheveux flottent libres autour de son visage. Sa haute taille lui confère une prestance plus grande encore. Dans le temple où il officie, sa voix est amplifiée par des micros savamment cachés tandis qu'il psalmodie les prières en sanskrit. La voix de Shivnath donne des frissons aux fidèles ameutés par les cloches et les tambours. Une ferveur électrique les inonde. Cette belle ferveur qui emporte les foules et les aveugle.

À la fin de la prière, il leur annonce un miracle.

— Tout vous sera révélé à Bénarès, leur dit-il. Nous partons à l'aube.

Les échos répercutent le message : nous partons à l'aube. Il y a toujours des milliers de gens prêts à partir en pèlerinage pour changer leur destin. Après tout, qu'ont-ils de mieux à faire ?

Il a donné des ordres à toute la maisonnée. Les serviteurs sont bien rodés. Ils ont emballé vêtements, ustensiles de cuisine, livres sacrés, instruments de prière, nourriture, tout ce qui est nécessaire au quotidien d'un homme de dieu. L'un d'eux est venu lui demander, les yeux baissés, s'il fallait aussi emballer les affaires de Chinti. Il a utilisé le mot *bacchi* pour la désigner, l'enfant.

— Oui, bien sûr, a répondu Shivnath avec agacement. Ensuite il a ajouté : ne l'appelle pas *l'enfant*. Pour toi et pour tous, elle est *Mata*, la mère. Fais-le savoir aux autres. Elle est l'incarnation de Kali revenue sur terre pour nous sauver.

Il voit le regard sceptique du serviteur, mais celui-ci détourne vite son visage. Shivnath s'en fiche. Ils ont besoin de lui pour les maintenir hors de la misère absolue.

Il appelle Chinti. Elle arrive de son pas sautillant, et son rythme cardiaque s'accélère. Son souffle aussi. Elle lui sourit de tout son corps, qui semble briller plus fort encore que dans ses rêves.

— J'ai reçu une vision, lui dit Shivnath en la prenant dans ses bras. Kali m'est apparue cette nuit. Elle m'a dit que tu étais sa vraie fille. Pas comme quand j'appelle ta mère et les autres femmes de la Ruelle les *filles de Kali*. Toi, tu es son incarnation sur terre. Tu portes en toi sa grâce et son pouvoir.

— Moi ?

— Oui, toi.

— L'incarnation de Kali ?

— Oui.

— Mais je suis comme tous les autres. Je ne me sens pas différente.

— Je t'ai choisie, répond Shivnath. C'est déjà un signe. C'est pour cela que nous allons en pèlerinage à Bénarès pour que tu y sois consacrée.

— Qu'est-ce que ça veut dire ?

— Ça veut dire que tu seras traitée comme une déesse.

— Mais alors, je ne resterai plus avec vous ?

— Si bien sûr, tu ne me quitteras jamais. Je suis ton protecteur.

Chinti sourit, rassurée. Puis demande, avec malice :

— Si je suis la fille de Kali, ça veut dire que je peux donner des ordres ?

Sans attendre sa réponse, elle court partout dans la maison en disant aux serviteurs qu'ils doivent lui obéir parce qu'elle est une déesse. Elle exige de la nourriture, des jouets, qu'ils fassent des grimaces, qu'ils la portent sur leur dos en courant. Elle adopte des allures de reine pour marcher. Les serviteurs rient, l'air indulgent, mais Shivnath sait tout ce qu'il y a de grinçant dans leur rire. Ils sont dressés pour obéir. Mais obéir à une enfant pauvre et sans doute de basse caste ? Jamais.

Ils l'ont vue à son arrivée, vêtue de la boue de la Ruelle que l'on reconnaît de loin à son odeur, à son épaisseur, à son grouillement, à la manière dont elle colonise le corps.

Elle a été lavée et habillée avec soin. Mais jamais ils n'oublieront la boue. Celle qu'emportait l'eau du bain et celle qui est restée, invisible, imprégnant sa peau. Shivnath leur a promis une augmentation. Ils ont compris. Ils se tairont, il le sait. Mais pour construire le mythe Chinti, il devra en faire plus. Personne ne doit pouvoir le soupçonner.

Il a ordonné qu'on aille acheter des tenues somptueuses dans les plus grands magasins de la ville, et des bijoux en or, pas de pacotille. Quand elle sera présentée au regard des gens, il faudra qu'elle ressemble à une vraie déesse. Avec ses grands yeux noirs, ses cheveux bouclés, ses traits parfaits et son corps fin, ce ne sera pas difficile. Rien ne persuade davantage que la beauté. Entourée d'encens, accompagnée par les cloches et les chants liturgiques, l'aura naturelle de Chinti en sera décuplée. Et il sera à ses côtés pour les berner tous. Sa voix aura l'accent de la vérité. Elle l'a toujours eu.

Avec sa force de persuasion, Shivnath a accompli bien des miracles. Celui-ci en sera un de plus. Le miracle Chinti. Puisque Chinti est son miracle.

Avec une excitation non feinte, il va mettre tout cela en route, et surtout faire en sorte que le pèlerinage soit confortable – il ne faudrait pas que sa petite soit trop fatiguée par le trajet. Ni lui non plus, d'ailleurs.

Grand rassemblement devant le temple de Shivnath. De loin, nous voyons deux voitures luxueuses dont les coffres ouverts sont déjà remplis de bagages. Des serviteurs courent partout, transportent des paquets, se disputent pour leur trouver une place. Les badauds se sont attroupés pour assister au spectacle. Les marchands ambulants en profitent pour vendre des boissons gazeuses, des beignets, des colifichets, du *paan*, des objets religieux ou des sorbets gardés au frais dans des bacs à glace crasseux.

Les fidèles se sont rassemblés pour suivre le pèlerinage de leur *swami*. Malgré les baluchons qu'ils portent sur leur tête ou à l'épaule, ils s'empressent d'acheter d'autres choses dont ils auront besoin en route. Les mendiants se faufilent parmi la foule, tendant leur main sous le nez des gens. On les chasse avec irritation, de la main et du pied, mais cela ne les empêche pas de revenir à la charge, surtout les enfants, petits moucherons squelettiques vêtus de la seule poussière du chemin, leur voix grelottante irritant les nerfs des fidèles.

Veena demande à un badaud ce qui se passe.

— Le *swami* va en pèlerinage à Bénarès, lui répond-il, il y aura une cérémonie spéciale à son arrivée.

— Quelle cérémonie ?

Le badaud baisse la voix :

— Un serviteur m'a dit que le *swami* a recueilli une petite fille qui serait la réincarnation de Maha Kali elle-même. C'est pour elle qu'il va accomplir la grande prière au bord du Gange.

Veena frémit. Cette colère que le chagrin avait un peu estompée revient en houle et noircit son visage (du coup, c'est elle qui ressemblerait presque à la déesse surplombant le temple). C'est ça qu'il a trouvé, le salopard, pour profiter de sa fille ? En faire la réincarnation d'une déesse ? Et lui il sera quoi ? Son adorateur ? Ou celui qui exécute ses méfaits en son nom ? Ou bien le boucher qui l'empalera sur sa lame ?

Veena commence à se frayer un chemin parmi la foule pour voir de plus près la face de porc de Shivnath. Elle a l'intention de crier tout haut ce qu'il a fait, comment il a enlevé Chinti qui n'est qu'une petite fille de la Ruelle et non l'incarnation de Kali, et que tout ça ce ne sont que des mensonges pour qu'il puisse abuser de l'enfant.

— On verra, dit-elle, si les gens ne se retournent pas contre lui !

Je la suis, inquiète de la voir disparaître parmi la foule hostile.

Au même moment, un murmure collectif s'élève. Par les portes sculptées, grand ouvertes, du temple, dans une folle envolée de carillons, des silhouettes nimbées apparaissent. Shivnath, immédiatement reconnaissable à sa haute stature et à ses vêtements flottants, si blancs qu'ils semblent réfracter la lumière, tient par la main une créature ravissante. Vêtue de longues jupes richement brodées de fils d'or et d'un voile de gaze fin, couverte de bijoux, les yeux fortement soulignés de khôl noir, la bouche facticement rougie, une expression à la fois majestueuse et malicieuse sur le visage, l'enfant glisse aux côtés de Shivnath et rayonne, exactement comme les statues des déesses qui se dressent dans le temple. L'on verrait des bras supplémentaires s'élever de ses épaules et un troisième œil s'ouvrir à la place du *bindi* qu'elle porte sur le front que l'on n'en serait guère étonné. Le sourire est mystérieux ; le regard, divin. Un être éthéré. Impossible.

Cet être… Chinti ? se demande Veena, abasourdie, s'accrochant à mon bras. C'est Chinti, cette merveille ? Ma fille, grandie dans la crasse de la Ruelle, le nez dans la misère, la bouche braillante et le corps décharné ? Impossible ! Et pourtant, si, c'est bien elle, c'est son visage, son regard, sa bouche, et elle semble avoir parfaitement assumé son rôle, contemplant à ses pieds la foule émerveillée, le menton levé et le sourire bienveillant… Ma fille vêtue comme une princesse, à côté de cette ordure de Shivnath qui la tient par la main comme si elle était déjà à lui, peut-être l'est-elle, mais non, elle n'aurait pas été aussi sereine, aussi rayonnante, non, je n'y crois pas. Mais pourquoi en faire une incarnation de Kali ? Pourquoi l'emmener à Bénarès pour une grande cérémonie ? Pourquoi la présenter au regard du monde comme une créature à adorer, dont on quémandera des dons alors que je connais son but : la posséder entièrement et de plein droit ?

Veena est prise de vertige, tout lui échappe, elle n'a désormais aucun contrôle sur le déroulement des choses, aucun recours, à moins de crier, là, maintenant, tout révéler, hurler que Chinti est ma fille, la fille d'une pute de la Ruelle, rien de plus, rien de moins, car cela ne veut pas dire qu'elle ne mérite pas de grandir auprès de sa mère, être la fille d'une pute ne signifie pas qu'elle doive être la créature d'un homme qui se moque autant des dieux que des hommes, non, Chinti a droit à sa vie, et personne ne peut me la prendre, moi, sa mère, personne !

Elle s'avance et va se mettre à parler, mais je la retiens.

— Laisse-moi, hijra ! gronde Veena. Ça ne te regarde pas !

— Tu veux être déchiquetée par la foule ? lui dis-je. Ou faire massacrer ta fille ? Car ce sont les deux seules options. Ils te mettront en pièces pour avoir osé insulter leur saint. Ou alors, c'est elle qu'ils puniront d'avoir osé se faire passer pour une déesse. À toi de voir.

Veena s'arrête. Elle sait que j'ai raison. Elle ne doit pas se précipiter comme une folle. Elle doit réfléchir, mais la chaleur, l'impuissance et le désarroi l'accablent.

— Comment peut-il leur faire croire qu'elle est une déesse ? demande-t-elle. Les gens ne sont plus si naïfs…

— C'est Chinti, dis-je. On ne peut s'empêcher de croire en elle. Et puis la parole de Shivnath est acceptée par tous. Ils sont prêts à le suivre, parce qu'il y a si peu de raisons d'espérer. Alors, une incarnation, parmi nous, aujourd'hui, pour nous sauver d'un monde en déchéance… Pourquoi pas ?

— Que faisons-nous alors ? demande-t-elle.

Son beau visage dégouline de sueur. Elle essuie vite les larmes qui ne doivent pas être vues.

— Nous allons les suivre. Jusqu'à Bénarès, s'il le faut. Nous la récupérerons.

Et nous la contemplons en silence, la silhouette illuminée de notre fille qui semble glisser comme sur un nuage vers le bas du temple sous les yeux de la foule plongée dans le silence, sous les yeux de la foule immobile qui n'ose même pas tendre une main vers elle de peur de déranger cette image sacrée, et la Maha Kali minuscule descend comme une vraie divinité des sommets de la montagne, arborant son sourire secret, son regard ne croisant celui de personne mais comme happée par une vision lointaine, et jamais on n'aura si bien joué ce rôle, mais peut-être ne joue-t-elle pas, Chinti, peut-être est-elle assez jeune, ou assez folle, pour y croire, s'imaginer déesse et ainsi écarter les doutes des gens ? Quelle meilleure promesse que celle d'une déesse née parmi eux ? Et quel meilleur sort pour elle que de se croire élue ?

Ou alors, peut-être l'est-elle vraiment, déesse, après tout, qu'est-ce que j'en sais ?

Ainsi, Chinti, déesse nouvelle-née, et Shivnath, son maître et officiant, entrent dans une belle Mercedes noire aux fauteuils en cuir ivoire, le chauffeur démarre presque sans bruit et ils se fraient un lent chemin parmi la foule qui ondoie, ondule, entonne un grand chant de gloire, et ainsi, avec leur lumière et leurs ors, ils partent et entraînent à leur suite une queue vivante, vibrante, d'adorateurs subjugués vers ce fleuve sacré qui est le but et la fin de tous nos périples d'infortune.

C'est sûr, il sait s'y prendre. La mise en scène, l'apparition, les vêtements, le maquillage, tout a été fait pour s'assurer que les crédules adhèrent sans arrière-pensée, et sans le moindre doute, à l'entourloupe.

Veena tremble si fort à mes côtés que je perçois les vibrations dans sa peau et dans sa chair. Voir sa fille ainsi parée, telle une poupée vivante, ne lui fait pas penser à une quelconque divinité mais plutôt à une prostituée de luxe, le haut du haut de gamme auquel les femmes de la Ruelle aspirent parfois dans leurs rêves. Mais jamais pour leurs filles, non, ça non, elles aspirent à autre chose pour leurs filles, même Veena, des études brillantes, un bon métier, un salaire mensuel qui leur permettra d'acheter une maison ou une voiture, et surtout, surtout, un mari et des enfants, une vie saine, une vie normale. Le destin des filles de putes est moins beau : au mieux, les plus jolies se font engager dans des bars pour danser, elles sont parfois aussi belles que les actrices de Bollywood mais il y en a trop qui font la queue devant les bureaux des producteurs, la plupart ne seront même pas reçues, alors elles vont danser dans les bars, et les billets d'un dollar ou de cent roupies viennent se ficher dans la ceinture de leur jupe. Elles peuvent devenir riches ainsi, riches et fatiguées et vieilles, et puis l'argent s'échappe vite, dans la drogue et l'alcool et le maquillage de plus en plus épais, jusqu'à ce qu'elles retournent vers les ruelles infinies du pays, l'amer goût de la défaite dans la bouche.

Et puis il y a les autres, toutes les autres… Ce sont les plus pauvres qui les achètent, les plus pauvres qui les prennent, les plus pauvres qui les tabassent, et c'est ainsi. La mort assurée, qu'on espère douce. Sans trop y croire.

Mais Veena ne veut pas de cela pour sa fille. Chinti, elle l'a décidé, aura une vie.

— Où allons-nous ? me dit-elle.

— À la Ruelle.

— Pourquoi ? Nous devons suivre le pèlerinage !

— Non, nous avons besoin de rassembler une armée.

— Quoi ? Quelle armée ? Tu divagues !

— L'armée des femmes de la Ruelle et de la Maison des hijras. À nous deux seules, nous ne pourrons pas récupérer Chinti. Nous irons toutes ensemble. Le prétexte est tout trouvé.

Veena sait ce que je veux dire. Aucun pèlerinage religieux ne peut avoir lieu sans être accompagné par sa cohorte de chair. Comment feront-ils, ces pauvres hommes pieux, pendant toutes ces journées, ces semaines, ces mois, parfois, pour suivre l'appel divin, s'ils ne peuvent satisfaire leurs pulsions sexuelles ? Comment parvenir à se concentrer dans leurs dévotions, parfaire la purification de leur être, consolider ce lien unique et intangible qui les relie aux divinités, si leur corps manifeste de plus en plus fortement, bruyamment, insolemment, ses envies contrariées ? Imaginez que leur sexe les trahisse au milieu de la prière, parmi tous les pèlerins ! Depuis toujours, sexe et religion font bon ménage, n'en déplaise aux puritains. Il ne s'agit que du sexe masculin, bien évidemment. Le sexe féminin, lui, est là pour fournir un service : assouvir les désirs. Les épouses dévotes n'ont pas droit au même soulagement (ou seules, parfois, sous le couvert de la nuit et de leur sari). Heureusement pour elles, leur corps ne trahit pas leurs pensées coquines.

C'est ainsi que, depuis toujours, les femmes de la Ruelle accompagnent les grands pèlerinages. Pour aider les croyants à suivre la voie de la foi en leur offrant un exutoire avant leur purification. Et pour ainsi gagner un peu plus d'argent que d'habitude auprès d'une clientèle captive, c'est la logique économique.

Veena regarde la longue file qui progresse à la suite des voitures de luxe. Tout au long du trajet, d'autres s'y joindront, alléchés par la nouvelle inédite (la réincarnation de Kali arrive juste à temps pour les sauver de la Kaliyug, l'ère de l'apocalypse !).

Je vois l'amertume sur son visage, sans parler de la colère, qui n'est jamais très loin.

— Jusqu'où es-tu prête à aller ? demande-t-elle.

— Que veux-tu dire ?

— Pour Chinti. Jusqu'où ?

Je n'ai pas à réfléchir :

— Je te l'ai dit : jusqu'à tuer.

Surprises, nous partageons un rire involontaire : de rage, de détermination, de connivence. Comme une force née, brûlante, de la profondeur même de notre désolation.

Nous sommes une vingtaine. Pas vraiment une armée. Des femmes de la Ruelle et des hijras. La plupart ont revêtu leurs plus glorieuses couleurs : polyester, bijoux, strass, avalanche de fleurs dans les cheveux, des oiseaux de paradis aux ailes déployées et aux rires nocturnes parmi cette foule terne. Mais pour l'instant les gens sont trop préoccupés par les manques qu'ils redoutent, nourriture, eau, lieux d'aisance, lieux de repos, pour nous remarquer.

Les femmes n'ont pas été dures à convaincre. Au début, elles ont été gagnées par la frénésie du départ, et même par l'élan de foi qui pousse tant de gens sur les chemins. Elles ont été emportées par ces corps qui se pressent les uns contre les autres. Les odeurs s'entremêlent en une belle fraternité, même si elles se transformeront très vite en repoussoir. Les enfants, surexcités, menacent à tout moment de se perdre dans la foule. Les mères les rattrapent d'une main ferme, promptes à gifler, à tirer sur une natte ou une oreille. Ponctuant la procession, des groupes d'hommes et de femmes vêtus de safran psalmodient des prières, s'accompagnant de leurs instruments, *dholaks* et *manjiras*. Certains pèlerins dansent au rythme de la musique, tentent de pénétrer la transe oublieuse des bénis.

Depuis le temple auquel ils tournent à présent le dos en quittant la ville, les cloches sonnent sans interruption. L'immense statue de Kali, immobile, voit leur exode, le visage serein malgré ses yeux exorbités et sa langue écarlate narguant les mortels. Derrière elle, les autres dieux, Shiva, Vishnou, Lakshmi et consorts, continuent de sourire dans la plus parfaite indifférence. Le temple ne cessera pas ses activités pour autant. L'ordinateur de la statue de Shivnath continuera de faire entendre son cliquetis, telle une caisse enregistreuse. Le business doit continuer à marcher, même en l'absence de Shivnath. La mécanique est bien huilée.

Les voitures ont disparu. La foule a tenté de les suivre, mais elle est trop lente et bientôt distancée. On sait quelle route suivra Shivnath, puisque le tracé du pèlerinage a été annoncé ; alors on suivra son sillage, sous pluie et soleil et vent et toutes les intempéries annoncées par les gens de mauvais augure. Accompagnant les pèlerins, l'armée de commerçants se déploie, toujours prête à saisir les opportunités. Les marchands de fleurs et de fruits, bien sûr, pour l'offrande quotidienne, mais aussi les vendeurs de nourriture, de boissons, de vêtements et de casseroles, les merciers, les rémouleurs, les fripiers et les écrivains publics. C'est une petite ville qui est ainsi en marche sur les routes, comme pour tous les pèlerinages, et Veena et les autres femmes de la Ruelle, comme chaque année, en font partie, même si elles sont plus visibles que les autres et que tout le monde sait qu'elles ne sont pas là pour prier. Elles font partie du commerce.

Sauf que, cette fois, elles ont un autre objectif : cette fois, elles sont des justicières.

Au bout de quelques jours de marche, cependant, leurs couleurs commencent à s'estomper. La fatigue et l'humeur de la foule pèsent sur elles. Elles se retrouvent encerclées par des corps hostiles, envahissants, des verges se frottent à elles comme par inadvertance, des crachats de femmes visent leur jupe ou leur visage, des injures marmonnées les atteignent, même si personne n'osera les rejeter tout à fait – on sait que Shivnath a toujours protégé les filles de Kali et qu'elles sont un divertissement nécessaire. Les bords brodés de leurs jupes s'alourdissent ; de la boue des êtres et de la merde des vaches, des chiens, des cabris et des hommes ; de tout ce qu'une foule de gens et d'animaux laisse dans son sillage, le reflux d'une marée fangeuse. Une ville en mouvement, ça broie, ça piétine, ça détruit, ça désagrège.

Bientôt, toutes auront une apparence de statues de terre, avec leurs yeux fatigués et leurs dents rougies de bétel. Mais qu'importe ? Elles sont décidées à combattre. Et à se faire de l'argent, comme toujours, sur le dos de la religion, de la belle hypocrisie humaine. Pour une fois, leur métier leur apporte une sorte de fierté. Sauver Chinti en gagnant des sous ? Pourquoi auraient-elles hésité ?

Autour de Veena, il y a Gowri, Kavita, Fatima, Janice, Mary et les autres. Pas Bholi, bien sûr. Mais elle aurait été là aussi, Veena en est sûre, et elle regrette désormais sa jalousie envers celle qui avait aimé Chinti et lui avait offert ses papillons. La mère maquerelle n'est pas au courant de leur entreprise. Elle sait juste qu'elles vont suivre le pèlerinage comme nombre d'entre elles chaque année, emportant leurs enfants dans leurs bagages ou les laissant à l'association qui tente de leur donner un semblant de stabilité. Elle n'aurait pas toléré que ses filles s'opposent à un client privilégié comme Shivnath.

Au fil des jours, ce que Veena voit dans les yeux de ces femmes qu'elle côtoie depuis tant d'années, celles qu'elle a si souvent prises pour des ennemies, c'est l'amour qu'elles éprouvent envers Chinti, et qui lui semble inexplicable. Pourquoi Chinti ? Veena ne comprend pas, jusqu'à ce qu'un soir Janice lui parle.

— Nous n'avons pas besoin de nous aimer, dit-elle, mais Chinti est notre seul rêve.

— Qu'est-ce que ça veut dire ? grommelle Veena, énervée.

— Ça veut dire qu'elle est celle qui a ramené le rire dans la Ruelle. On sait bien que pour nous, la route s'arrête là, qu'il n'y a rien d'autre. Mais la Ruelle a changé de visage depuis qu'elle est arrivée. Elle nous a rendu une joie qu'on avait perdue. Qu'on nous a volée.

Veena reste silencieuse. Elle se demande si cette enfant qui est sortie de son corps un soir de marée noire, au milieu de la forêt, pouvait être destinée à autre chose qu'au destin sordide qui a été le sien : finir aux mains d'une maquerelle et de milliers d'hommes.

Ce soir-là, les femmes sont réunies autour d'un petit réchaud à pétrole sur lequel elles font cuire du *dhal* et des *chapatis*. Autour d'elles, des campements semblables. Des voix qui s'élèvent et s'apaisent, des pleurs d'enfants, des cris de femmes, des rires d'hommes, des plaintes de vieux, la rengaine des mendiants, une symphonie humaine avec ses harmonies et ses dissonances. Veena sent la brûlure de ses pieds mordus par les cailloux à travers ses sandales minces et la fatigue dans ses mollets. Assise, les genoux largement écartés, sa jupe pendant entre ses cuisses, elle pense seulement à Chinti qui s'éloigne dans la voiture, là-bas, aux côtés de Shivnath. La main de propriétaire de celui-ci sur la tête de l'enfant. *Son* enfant. Pas le droit, se dit-elle. Le porc paiera. Les filles m'aideront. Et les hijras aussi.

Ici et là, des chants fusent, des claquements de mains. Ailleurs ce sont les cris des ivrognes saisis d'une brusque colère. Non loin, une femme chante une berceuse mélancolique, son bébé dans les bras. Les chiens aboient ou grognent, les cabris viennent chercher les restes de nourriture éparpillés. Dans le ciel, les étoiles changent de position, mais personne ne les regarde. Que leur importe ces lumières venues de loin alors que la terre est une géhenne ? Le ciel n'est là que pour recevoir leurs vaines prières. Le ciel est la gigantesque oreille des divinités, rien de plus. Elles leur enverront des pluies bienfaisantes ou dévastatrices, des sècheresses qui boiront jusqu'au sang des vivants, des ouragans et des typhons, et peut-être quelques jours de grâce où l'air sera frais et le soleil clément. Vivre, vivre, aujourd'hui, et puis demain, et puis peut-être encore demain. C'est tout ce qu'ils peuvent espérer. Après... Tout est incertitude.

Un homme sort de l'ombre et fait un geste du menton à l'intention de Janice. Elle hoche la tête et se lève. Il est pauvre, mais a suffisamment de billets chiffonnés dans sa poche pour se payer quelques minutes à l'abri des buissons, dans la poussière et les odeurs, quelques minutes dans le con d'une femme tandis que la sienne dort peut-être, non loin. Mais il n'a pas envie d'elle, de l'immobilité de ce corps qui attend qu'il en finisse. Non, il a envie d'une chair onctueuse et malléable, d'une humidité accueillante, de cette voix profonde qui décuplera son propre désir, de ces mots grossiers issus de lèvres saliveuses, de tous ces interdits qui transforment cet accouplement en une sorte d'extase crasseuse, c'est cela qu'il cherche en cet instant, rien d'autre que cela. Un semblant d'extase, un instant d'oubli. Janice va les lui donner sans rien ressentir de son côté, rien qu'un mépris las.

Elle revient au bout de dix minutes, même pas fatiguée, juste énervée de constater la boue collée à ses cheveux et à ses vêtements, et qu'elle époussette en murmurant, j'aurais dû prendre une natte au moins. L'argent est bien caché à l'intérieur de ses vêtements.

Toute la nuit, ça continue : un défilé d'hommes de tous âges, y compris les infirmes et les vieux qui tout à l'heure se plaignaient de leurs os douloureux, ils arrivent, ils font ce même geste familier du menton, ou un bref mot jeté, *aaja*, viens, et une femme se lève et puis une autre et bientôt il leur faut aller plus loin pour trouver un coin à peu près isolé. Autour du petit campement des femmes, le commerce va bon train jusqu'aux premières heures du jour. Le remue-ménage n'empêche pas les autres de dormir.

Les femmes *honnêtes* qui suivent le pèlerinage peuvent enfin se reposer tranquillement, sans crainte des hommes. Ils respectent la trêve, c'est déjà ça, et c'est pour cela qu'ils ont tant besoin des putes : les avoir à disposition leur permettra de résister à leurs envies, et ils reprendront leur route au matin sans se soucier de la fatigue assaillant les reins des femmes qui auront travaillé toute la nuit et qui doivent, elles aussi, marcher.

Marcher encore sous le soleil, sur les ossements d'une terre qui n'en finit pas de mourir, les ravines et les coteaux, les rizières et les figuiers, tous pareillement vêtus de poussière, tous promettant une moisson rachitique et malingre, comme si le travail des hommes, depuis le labour et les semailles jusqu'à la récolte, ne méritait rien de plus que cela. Marcher tandis qu'ils voient s'éployer des paysages annonciateurs des mauvais jours, de l'immense haine que ce pays nourrit envers les hommes.

Les chants continuent de fuser avec une énergie furieuse qui contredit la faiblesse des corps. Marcher, chanter, prier. Et de temps en temps aller sur le bas-côté de la route pour faire ses besoins. Le piétinement incessant crée une espèce de glaise putride dans laquelle doivent patauger ceux qui suivent. Quelques femmes s'arrêtent auprès d'une rivière pour une lessive hâtive, même si les vêtements en sortiront plus boueux qu'avant. Les enfants sont aussi soumis à une toilette sommaire avant d'être réinstallés, pour les plus jeunes, sur une hanche habituée à leur poids, où ils s'endormiront bientôt. Les plus grands courent à leurs côtés, meute rieuse et criarde, bientôt affamée. Habitués au vide de leur estomac, ils se contenteront des fruits glanés ici et là, des légumes arrachés d'un champ mal surveillé, peut-être même d'un oiseau tué d'un coup de caillou qu'ils feront rôtir en cachette.

Les femmes de la Ruelle les suivent tout en gardant leurs distances. Elles n'ont pas envie de se faire insulter et huer ou reluquer sans vergogne. La fatigue de la nuit les rattrape et elles dorment sur leurs jambes en mouvement, les yeux vitreux, la bouche entrouverte. Les chants les atteignent comme un souffle lointain, les mots se déforment, deviennent turbulents et absurdes : *Ô Déesse dévoreuse, déesse de toutes les armes, de toutes les larmes, ouvre-nous grand le corps pour dévorer nos entrailles...* En se réveillant, elles se demandent si elles ont rêvé ces mots cruels ou si, quelque part, des dévots demandent réellement à Kali de les dévorer.

De temps à autre elles croisent des *sadhus* squelettiques, vêtus seulement d'un bout de chiffon autour de la taille et maculés de cendres, avec leurs dreadlocks couleur rouille.

Ils fustigent les pèlerins trop gras selon eux. Cessez de manger ! crient-ils. Cessez de vous plier aux exigences de ce corps tyrannique ! Ce n'est pas ainsi que vous obtiendrez la bénédiction divine ! C'est par le sacrifice, par l'abstinence, par l'ascèse que vous atteindrez le nirvana ! Abandonnez cette vie matérielle emplie de péchés !

Et ils sautillent sur un pied puis sur l'autre dans leur danse grotesque, s'arrêtant de temps en temps pour fumer la ganja qui leur offrira des visions sublimées de l'autre monde.

Gowri rigole en les voyant s'agiter ainsi.

— Heureusement pour nous que personne ne les écoute, dit-elle. Attention à leurs coups de griffe !

Plus Veena avance, plus sa haine envers ces gens convaincus de leur ferveur et de leur moralité grandit. Le mépris qui entoure les femmes de la Ruelle est un cercueil dans lequel elles ont été enfermées avant même de mourir. Corps de femme, corps possédés et dépossédés dès la naissance. Poussière et néant. À quoi bon l'effort de se glisser hors des cuisses d'une mère ? La fausseté qui l'environne menace de l'étouffer. Elle s'en prend alors à ses compagnes, même si elle sait que leur présence ici est un acte de dévouement envers sa fille. Certaines préfèreraient sans doute être dans la Ruelle, où elles seraient à l'abri et dormiraient un peu plus confortablement. D'autres ne lui en veulent pas puisqu'elles continuent de gagner de l'argent. Cela ne les empêche pas de la bousculer quand elle va trop loin ou de la gifler lorsque sa bouche crache des insultes.

La présence des hijras interpelle les pèlerins. Nos rites, notre déesse, la Bahuchara Mata, notre pèlerinage à nous, ils ne comprennent rien à tout cela et n'osent pas poser de questions. Troublés par tout ce qu'ils perçoivent en nous d'étrange, la peur et la haine se mélangent dans leur ventre. Certains demandent notre bénédiction, d'autres nous ignorent, d'autres encore nous insultent. Ils n'osent pas s'attaquer à nous, pas ici, pas au milieu de la foule. Du moins, pas encore.

Alors, nous restons entre nous, accompagnant les prostituées sans nous mêler. Nous nous coiffons, nous habillons et nous maquillons discrètement ; chacune est un rempart pour les autres. Notre aura semble à certains un pouvoir obscur, d'autres y voient une barrière insupportable.

Mais nous ne savons pas combien de temps durera ce respect, avant que la nature sauvage des hommes reprenne le dessus.

Pendant presque tout le voyage, Chinti somnole. Ses pensées ondoient dans cet entre-deux où elle est suspendue. Elle est certes fascinée par les paysages vite dérobés, les villes qu'elle traverse, les gens qu'elle aperçoit fugitivement avant qu'ils ne soient abandonnés à l'oubli. Mais la fatigue et l'ennui de cette immobilité forcée finissent par avoir raison d'elle, et elle s'endort, recroquevillée sur l'ample siège, dans les bras accueillants et moelleux de Shivnath et son odeur de coton frais.

Les changements qui ont eu lieu dans sa vie sont immenses, mais semblent évidents à son esprit d'enfant. Après le dénuement de ses premières années, les colères de Veena, les joies volées entre deux chagrins, Shivnath est arrivé. Sa main tendue, ses bontés, ses richesses, tout lui a paru simple, comme la conséquence naturelle de ses attentes. Pourquoi chercher à expliquer tout ce qui lui arrive ? Dans son esprit demeure intacte cette capacité d'accueillir la magie des choses, les transformations merveilleuses, les revirements inattendus de l'existence. C'est la faculté de tous les enfants.

D'ailleurs, n'a-t-elle pas toujours eu ce sentiment d'être une créature différente des femmes qui l'entouraient, une fourmi qui se faufilait entre les murs, ou un papillon dansant dans ses voiles rose, protégé de la misère ? Devenir une déesse, comme le lui a promis Shivnath, ne paraît être qu'une étape de plus dans sa métamorphose. C'est maintenant qu'elle va découvrir sa vraie vie. Tout le reste n'était qu'un prélude, peut-être même une leçon de souffrance pour mieux mériter le bonheur.

Dans les miroirs, avant de partir, elle s'est vue parée, fleurie comme une déesse. Dans les miroirs, elle était vêtue d'étrangeté. C'était une autre qui la regardait depuis son reflet. Elle a tourné son visage vers la fenêtre, menton levé, et une huile de lumière lui a caressé le front. Sa bouche a esquissé un sourire, son poignet a fait tinter les bracelets, sa cheville lui en a renvoyé l'écho. Alors, dans les miroirs, le reflet de Chinti a esquissé une danse voilée de brumes.

C'est Shivnath lui-même qui l'a habillée. Il l'a aidée à enfiler la jupe et le *choli*, a drapé et ajusté son voile, choisi ses bijoux, coiffé ses cheveux et maquillé son visage avec une attention de mère. Sa langue mouillait ses lèvres dans son extrême concentration. Son souffle était court, ses yeux un peu flous. Quelques gouttes de sueur brillaient au-dessus de ses lèvres et sur son front. Ses mains s'attardaient sur les épaules de Chinti, sur ses bras et sa taille. À genoux devant elle, il a approché son visage de son cou et inspiré profondément, comme pour préserver en lui son odeur d'enfant.

Jamais elle n'a reçu un tel amour. Pas même de Sadhana, qui réservait le meilleur de son amour pour Réhane. Alors, pour elle qui n'a jamais eu de père, aucune présence masculine dans sa vie si ce n'est celles qu'elle entrevoyait par la fente et qui n'avaient rien de paternel ni même d'humain, être l'objet d'une si grande dévotion est une chose merveilleuse. Elle sait que Shivnath ne l'abandonnera pas, qu'il ne la délaissera pas pour un autre enfant.

Il n'y aura pas d'autre déesse à ses côtés.

Elle a levé la main, touché sa joue. Sa peau est rugueuse, la repousse de sa barbe piquante sous ses doigts. Rien à voir avec une peau de femme. Elle regarde ce visage si proche qui la contemple avec tant de tendresse, et à sa joie se mêle un trouble qu'elle s'efforce d'ignorer.

Une larme a coulé des yeux de Shivnath. Il a embrassé sa paume. C'était un pacte.

Maintenant elle somnole, tranquille, inconsciente. De ses lèvres s'échappe un petit sifflement saliveux qui fait trembler l'homme. Son corps ne pèse presque rien contre le sien, mais il est si lourd, en réalité, si lourd de toutes ses promesses qu'il en a le souffle coupé.

Ils s'avancent vers un avenir que tous deux devinent mal : elle par manque d'expérience, lui parce qu'il a perdu la raison depuis qu'il l'a vue. Aucun d'eux ne pense à l'instant d'après. Ici, maintenant, ils sont dans une paix factice, un bonheur transitoire volé au monde.

Ils n'ont aucune idée de l'orage qui gronde derrière eux. Car, derrière eux, il y a les femmes de la Ruelle et les hijras. Elles arrivent, ailes déployées, yeux brûlants. Mais même s'il le savait, Shivnath n'aurait aucune crainte. Il est baigné de sa sainteté. C'est son armure. Et cette petite, dans ses bras, sera bientôt une déesse. Qui pourra dès lors s'en prendre à eux ?

La lumière qui passe par elle illumine les autres. L'illusion est parfaite. Mais n'est-ce vraiment qu'une illusion ? La divinité pourrait-elle être un état que l'homme peut assumer ? Après tout, il suffit d'en avoir l'apparence, dans ce pays où les acteurs et les hommes politiques sont si facilement divinisés. On peut donc l'acquérir, on ne naît pas divin, quoi qu'en disent les livres sacrés. Shivnath sait combien les êtres de ce pays déchiré ont besoin de s'accrocher à toutes les cordes de salut. Chaque caillou a son dieu, rigole-t-il, et je suis le dieu des cailloux et des hommes !

Calé dans le fauteuil confortable, écoutant le ronronnement du moteur puissant de la Mercedes et le souffle de Chinti, il ne peut plus s'arrêter de rire.

Dans ce cocon frais, il se sent proche du paradis. La complétion de tous ses désirs, un état de béatitude presque parfait auquel il ne manque que… Il contemple le petit corps recroquevillé. Ah oui, une chose de plus… Juste cela, et il sera comblé.

Dehors, derrière ses vitres teintées qui le protègent du soleil, suit la longue file d'êtres décharnés, démunis, dépourvus de tout sauf de la force de quémander, encore et toujours, leur salut aux puissants. Avec leurs blessures et leurs peines, leurs espérances illusoires, dupes et crédules, incapables de raisonner – que méritent-ils d'autre ?

— Suivez, suivez, leur dit-il. Vous n'êtes bons qu'à ça.

Une joie curieuse, presque folle, le gagne, tandis qu'il sort de la glacière un chocolat belge fourré de crème fraîche et le porte à ses lèvres. Le whisky viendra ensuite. Tout à l'heure, il offrira à Chinti une glace Häagen-Dazs. Il l'a choisie avec soin. Quand elle goûtera au caramel et aux cookies pralinés, elle sera étonnée de cette sensation inconnue qui inonde sa bouche. Ses lèvres seront blanches de crème, elle sortira la langue pour les lécher et ne rien perdre de ce goût somptueux. S'il le pouvait, c'est lui qui lécherait ces tendres lèvres ; mais il sait être patient, et l'attente n'en est que plus douce. D'autres glaces viendront après, parfumées à la fraise, à la cerise, autant de fruits inconnus de l'enfant. Elle se délectera de toutes ces saveurs, il le sait, le sent : il en est bouleversé.

Somptueuse attente dans un carrosse doré.

Au bout de quelques jours, la fatigue du chemin nous envahit comme une crue. Le pied titube, trébuche sur un brin d'herbe ou une racine, le mollet est saisi d'une crampe, et voilà le corps à terre, les os amollis, la tête en bouillie. Personne ne s'attend à flancher, tant la progression est lente. Mais tous tombent à un moment donné. Le monde bascule. Le ciel devient vertical. Le vertige est total.

Je m'effondre et quelqu'un me soulève. Je murmure, Réhane, mais ce n'est pas elle. Je l'ai laissée. J'ai choisi de sauver Chinti. J'ai craint qu'elle ne me pardonne pas. J'ai craint qu'elle me dise qu'elle ne survivrait pas assez longtemps. Mais elle m'a pris la main et m'a dit « va ». Alors, je suis partie. Quelque chose en moi, cependant, s'est déréglé. Le choix était trop dur. Sauver Chinti. Accompagner Réhane dans ses derniers instants. Survivre, peut-être, aux deux. Ou mourir d'avoir failli aux deux.

Je revois le visage crayeux de Réhane, ses yeux qui ne parviennent pas à me fixer, sa bouche qui tremble, cruellement fendue tant elle est desséchée, ses bras comme des brindilles cassables, son ventre gonflé caché sous ses jupons. Je sais exactement comment la douleur la démantèle et ce qu'elle dissimule sous ce sourire vaillant. J'ai passé des nuits à la bercer, à fredonner à son oreille des chants d'amour, à lui parler de l'avenir, à l'emplir d'infinis. Tout ce qu'il était en mon pouvoir de faire pour la préserver, je l'ai fait. Mais je sais que mes pouvoirs sont limités.

Et je suis partie. Parce que Chinti, elle, n'a pas encore vécu. Elle a droit à un autre chemin. Une chance, une possibilité ; c'est tout ce que je demande pour cette enfant. Je n'admets pas qu'elle, comme sa mère, comme nous toutes, soit encore privée de choix, condamnée à la même prison. Je dois encore croire qu'il y a en l'homme une source de bonté qui peut rejaillir sur elle, même si j'ai toujours été persuadée que c'était le plus grand mensonge qui ait jamais été proféré. Je veux croire que mon pays n'est pas celui qui détruit toujours les plus faibles. Je creuserai de mes ongles cette terre immuable, rongerai de mes crocs les barrières ancestrales, déchirerai le masque des puissants pour donner à Chinti cette chance, cette possibilité.

Mais maintenant, je ne sais plus si j'ai bien fait de partir. Chinti a disparu dans la voiture luxueuse, le chemin me dévore les pieds et les regards sur nous sont des dards empoisonnés. Je suis fatiguée comme je ne l'ai jamais été. Les autres hijras m'observent avec inquiétude. Je crois m'enliser, mais elles me retiennent, me remettent debout. La force des hijras est là, autour de moi.

Il n'y a rien de semblable ailleurs, dans nos familles ou dans notre société. Cette volonté qui nous pousse à retrouver notre sexe véritable, la tendresse qui nous est propre et qui dépasse de loin tous les types d'amour, et cette solidarité puissante qui nous lie, c'est cela qui nous garde en vie.

Ce n'est que parce qu'elles sont autour de moi que je parviens à continuer de suivre ce chemin qui me mène si loin de Réhane.

Pour me consoler de ma tristesse, de ma faiblesse, elles ont commencé à chanter ma chanson préférée : *Jhumka gira re... Bareli ki bazar me...*

Alors, comme toujours quand je l'entends, je me suis mise à danser. Pour une fois, mes gestes sont lents et presque sans rythme, comme s'ils ne faisaient qu'effleurer l'air, et elles adaptent la chanson à mes mouvements. Leurs voix se font douces, c'est à peine si elles murmurent les mots, elles transforment la mélodie en une invitation sensuelle qui fait ondoyer mon corps. Yeux fermés, cheveux défaits, la chanson vibre dans mon sang et ma bouche s'ouvre pour en reprendre les paroles, *ma boucle d'oreille est tombée, ma boucle, ma boucle, qui va la ramasser ? Qui es-tu, toi qui attends de me percer la chair ? Ô ma boucle, ma boucle est perdue...*

Je pars bien loin de moi et des autres. L'air et la route se confondent dans mon corps. J'écoute l'appel de ce chemin qui ne me promet rien mais qui entraîne mes pieds. Peu importe où j'irai, je te reviendrai, dis-je à Réhane.

Certains pèlerins, nous entendant, tapent dans leurs mains et nous sourient. La plupart nous lancent des regards méfiants ou haineux. Des enfants nous jettent des pierres et des crachats. Les hommes tentent de deviner ce qu'il y a sous nos jupons. Ils s'imaginent un corps mutilé qu'ils pourraient dévaster un peu plus, un corps étranger, ni homme, ni femme tout à fait, qu'ils voudraient explorer et défaire. Ce troisième sexe que personne ici ne comprend, qui n'est pas l'absence de quelque chose mais l'amplification de ce que nous sommes à la naissance, de ce que nous sommes depuis toujours. Ce qu'ils ne savent pas, c'est qu'en ôtant une partie de notre corps, nous sommes devenues plus que nous.

Dans la foule, un homme me regarde avec plus d'attention ; une sorte d'avidité. Il se détache de ses compagnons pour nous suivre d'un peu plus près. Il ressemble à tous les hommes autour de nous : je ne me rends pas compte qu'il me suit. Ce soir-là, un homme a décidé de passer outre la barrière érigée entre eux et nous.

Si je n'avais pas été aussi épuisée, je me serais mieux protégée. Je n'aurais pas oublié que nous étions, ici aussi, en terrain ennemi. Je ne me serais pas isolée pour penser à Réhane. Je n'aurais pas baissé la garde.

Marcher, marcher encore tandis que les paysages changent, deviennent plus rugueux et arides, étendues de terres jaunâtres qui furent autrefois des champs verts mais qui, par manque de pluie, ne sont plus que rocaille et crevasses où le bétail décharné tente de trouver des pousses, quelque chose de plus vivant que lui. Seuls les cabris, les rats et les corbeaux continuent de prospérer. Ils peuvent tout dévorer, même les déchets des hommes, même des déchets d'homme.

Les pèlerinages n'ont jamais conduit vers autre chose que soi – un soi blessé, tourmenté par les visions qui dansent hors de notre portée, par nos rêves faussés. Les pèlerinages mettent à nu nos échecs, nos mirages. Ils sont l'éternel piétinement de ce rien qui nous réclame, nous aspire, nous noie : la mort vers laquelle tout le monde chemine, et rien d'autre. Aucune promesse d'un bonheur quelconque tandis que nos pieds creusent notre propre tombe.

Quelques plants d'acacia et de tamaris résistent dans les coudes du chemin, là où des monticules de terre accumulée par le passage des camions ou des bus offrent un semblant d'ombre. Mais ils sont vite arrachés, déchiquetés par les bêtes qui se battent et se blessent pour ces maigres bouchées. Les vaincus s'éloignent, l'échine pliée, de longues traînées de sang sur leurs flancs décharnés. Les vaincus râlent, étourdis de faim et de fatigue. Un peu comme les hommes que la longue marche épuise désormais, bien vite vidés de la ferveur qui les soutenait au départ.

Où es-tu, Chinti ? se demande Veena. La campagne qui l'entoure lui rappelle la naissance de cette enfant indésirée, dans un terrain vague derrière un village où les femmes la regardaient avec hostilité et les hommes avec ces yeux âpres et lourds, reconnaissables de loin. Seule une vieille femme inconnue (elle se souvient encore de ses longs cheveux blancs dénoués et de ses yeux pâles, peut-être était-ce une sorcière de passage ?) était venue l'aider. Les doigts de Veena arrachaient des herbes folles et les enfonçaient dans sa bouche pour s'empêcher de crier et d'ameuter quelque carnassier de passage, bête ou homme. Elle accouchait de son enfant et de sa rage de n'avoir pas su se protéger de la semence des hommes. Et de cette honte imprimée sur la peau des femmes, honte d'être, honte de ce corps que tous désirent, honte de ne pas pouvoir se défendre et leur rendre ce qu'ils méritent.

Dans cette longue nuit où les nuages ne bougeaient pas, où la lune restait immobile au-dessus d'elle comme un œil curieux, un petit bout de corps a jailli d'entre ses cuisses. Un bref morceau de chair presque trop fragile pour être l'issue de tant d'efforts, de tant de fatigue, de tant d'usure et de menace. Le sentiment qui a empli Veena, alors, c'était que cette chose n'en valait vraiment pas la peine. Elle l'a poussée du bout de ses pieds, repoussé le corps de sa fille qui n'était pas une fille pour elle mais un fardeau, les *cornes du buffle* dont parlait son père jadis pour décrire les choses trop lourdes à porter. Entre la mère et la fille, aucun lien ne s'était créé à cet instant-là.

Elle a mis tant de temps à devenir mère. Elle pensait pouvoir éviter ce piège. Ce trop d'amour qui fait souffrir davantage pour l'autre que pour soi. Cet amour qui dédouble les malheurs. Mais elle ne l'a pas évité, non : Chinti, comme toutes les fourmis, a su se faufiler en elle, trouver sa place, bien au chaud, dans son cœur, et lui ouvrir cette porte qu'elle redoutait tant.

Le miracle est qu'elle ne regrette pas la douleur.

Le visage figé, concentrée, elle n'entend pas la cadence de ses pieds. Elle est très loin au fond d'elle-même, cherchant, creusant, explorant ce sentiment maternel qui s'est manifesté de façon si inattendue. Survivre ne vous donne guère le temps de vous préoccuper d'amour. Survivre est un combat où toutes les présences sont ennemies. L'amitié, l'affection, l'amour, tout cela vous rend poreuse, fragile. Alors, vous fermez la porte, vous la verrouillez, vous la cadenassez. Et cette enfant de votre chair, vous la gardez à distance pour qu'elle ne soit pas une lame de plus qui vous transperce au moment où vous vous y attendez le moins. Cette enfant de votre chair n'est pas vous, n'est pas à vous : une fois née, elle suivra son propre chemin. Essayer de la sauver, c'est vous enliser, c'est vous laisser parasiter quand vous devez au contraire être forte pour la seule qui compte : vous-même.

C'est ça, survivre.

Mais voilà : elle s'est trahie. Elle a cédé à la tentation de l'amour.

Or elle sait bien que Chinti est tout, sauf une trahison.

La voici qui titube, elle aussi. Son pied se prend dans une racine. Une main est là pour la retenir. Elle se dégage d'instinct. Elle a toujours refusé toute aide. Janice sourit, sachant que Veena restera toujours la même : une écorchure qui n'accepte aucun apaisement. Mais voilà que Veena se tourne vers elle.

— Je n'ai jamais su dire merci, murmure-t-elle.

Janice est stupéfaite. Quelque chose dans la pliure des épaules de Veena, dans sa posture, lui dit que ce cœur-là n'est plus aussi fermement verrouillé qu'avant.

Autour d'elle, les musiques reprennent, et les chants, et les danses d'adoration. Un petit garçon plante une tige de bambou, haute et flexible, dans le sol et y grimpe, singe agile. Parvenu en haut, il lève les deux bras, se retenant uniquement par ses jambes. Puis il bascule, tête à l'envers, le visage grevé d'un sourire. Les spectateurs applaudissent.

Une petite fille marche sur les mains, tenant entre ses pieds un pot de terre rempli d'eau. Brève poésie, une *chameli*, une fleur de frangipanier ouverte, laiteuse et aromatique, y flotte. La petite fille marche, tête en bas, et aucune goutte d'eau ne tombe. Lorsqu'elle s'arrête, elle se tient sur la main droite, lève la gauche, saisit la cruche et se remet d'aplomb, sur ses jambes, en un bond qui ne fait pas trembler le pot. Elle tend une sébile pour recevoir quelques pièces, mais les gens se détournent et reprennent leur marche. Elle recommence alors pour les prochains marcheurs, en espérant finir par récolter quelque chose. Mais lorsqu'elle ose tirer une femme par le pan de son sari, celle-ci la repousse violemment : ne me touche pas, *churail* ! s'écrie-t-elle.

Churail, sorcière. Bien sûr. C'est ainsi que cette femme voit la petite, qui n'a sûrement pas plus de huit ans.

De femme en femme, on se transmet tant de colère et de haine, se dit Veena. Ce monde n'est pas le mien. Que me reste-t-il d'autre que cette quête qui me mène plus loin que je n'aurais pu l'imaginer ?

Elle se remet à marcher, la tête embrumée. Le monde se rétrécit autour d'elle et de sa fille. Rien d'autre ne compte, ni les pèlerins imprégnés de leurs croyances, ni les femmes de la Ruelle, ni les hijras. Tous rêvent de quelque chose qui n'existe pas. Comment peut-on continuer à croire quand tout contredit le moindre espoir ? Mais ils s'acharnent, ils se bâtissent des châteaux, dans cette vie-ci ou dans une autre, leur foi les guide. L'espoir est un radeau à la dérive, et tous s'y cramponnent, malgré la noyade annoncée.

Les hommes, eux, rachèteront leurs péchés au moment de la prière, le front paré d'encens, des cordons bénis entourant leurs poignets ou leur torse. Ils se prosterneront en murmurant les prières connues depuis l'enfance, plongeront dans les eaux du Gange et sentiront la boue des péchés quitter leur peau, confiant à la rivière leur ignominie jusqu'à ce qu'elle devienne noire. Ils en sortiront comme des nouveau-nés, la peau lisse et saine, prêts à goûter à nouveau aux plaisirs, à commencer par la chair des femmes.

En Inde comme ailleurs, les hommes ont droit à des renaissances répétitives.

Mais pas les femmes, en tout cas pas les femmes comme Veena, condamnées à une seule vie, dès la naissance. Aucune possibilité de rachat. Leur peau à elles ne peut être lavée, même pas après une plongée dans le Gange. Aucune d'elles ne nourrit l'espoir d'une vie meilleure : les dés, pipés dès le début, sont jetés.

Marcher, et marcher encore, tandis que la marée humaine s'épaissit et que la terre piétinée s'alourdit de leurs cris, de leur sang, de leurs crimes. C'est ainsi.

Et donc, Veena marche. Elle laisse couler son sang menstruel le long de ses jambes. Le chemin est si fangeux qu'on n'en verra pas les traces, et sa jupe trop poussiéreuse pour que les taches sombres soient reconnues. Elle ricane en regardant en arrière et en voyant les pieds des hommes s'enfoncer dans le sang sorti de son ventre, consciente que s'ils savaient où ils posaient leurs pieds, ils pousseraient des cris de poule en chaleur et iraient se laver pour se débarrasser de cette pollution féminine en demandant de l'aide aux prêtres accompagnant le pèlerinage.

Pataugez bien dans ma matière, dans ce que je vous laisse de mon corps. C'est là mon choix.

La lune s'est levée. Elle éclaire une terre brumeuse, mélancolique, comme débarrassée de son habituelle aridité. La nuit, la brise, la lumière, et il me semble qu'une fenêtre s'est entrouverte. Viens, me dit-elle, éloigne-toi de toi, oublie un instant tout ce qui t'abaisse et t'affaisse et t'efface ; sois telle, et rien d'autre.

Sadhana : l'accomplissement. C'est ce que signifie le nom que je me suis choisi, celui d'une actrice aux oreilles percées.

Les boucles d'oreille… Le marché de Bareli… Mon bel amour viendra-t-il me percer les oreilles ? Les chevilles tintantes… Les hanches virevoltantes… Je marche vers la lune et je me dis que ma vie est sacrée. J'ai été un petit garçon timoré, je suis devenue une femme entière et forte. Je suis devenue moi.

La nuit m'appelle, et je lui réponds. Réhane est ma lumière nocturne. Ma bonne étoile. Réhane et la nuit m'appellent et me disent que ce qui compte, c'est ma danse.

Les étoiles aussi se sont mises à danser. Un spectacle que personne ne voit, le regard égaré parmi les débris, les décombres.

Je marche le long du chemin, explorant un tracé qui n'a pas encore été suivi par les pèlerins et où les herbes sont encore vivantes. Notre progression n'a pas encore tout massacré sur son passage. Mais demain, ce sera fait. Demain, leur foi écrasera sans pitié ce minuscule bout de terre, infime miracle d'avenir.

Je reste debout sur une frange d'herbes, touchant du doigt quelques fleurs sauvages qui ont résisté à la sécheresse. Le poids du jour retombe sur mes épaules. Je pense à Chinti et je me demande si nous la retrouverons jamais. Ai-je entraîné Veena et mes sœurs dans une course folle, portée par l'urgence de ma révolte ? Et quand je rentrerai, Réhane sera-t-elle toujours vivante ? Je me tiens au bord de l'abîme que nous longeons toute notre vie. Il ne me reste que quelques pas à faire pour y basculer.

Une main se pose sur mon épaule.

Un homme s'est approché de moi. Le regard plongé dans la nuit et ses étoiles filantes, je ne l'ai pas vu. C'est son ombre qui m'est apparue, pas plus grande que moi, mais vaste par sa puissance, par son envie, vaste parce qu'il est homme et que dans ce pays, dans ce monde, l'homme est plus grand, bien plus grand. Son ombre étreint et éteint tout. Malgré cela, je ne l'ai pas vu avant qu'il ne soit trop tard, avant que son bras ne m'encercle.

C'est un bras maigre mais musculeux comme celui des travailleurs à la chaîne, laboureurs, ouvriers, colporteurs, maigres mais si forts. Même si je suis de grande taille, j'ai la minceur d'une femme.

Je regarde autour de moi et ne vois personne d'autre. Les campements sont loin. Les femmes de la Ruelle sont parties dans les recoins où elles emmènent leurs clients. Mes sœurs hijras sont sans doute endormies. Il n'y a que moi, l'homme et la lune. Et l'abîme, qui m'attend, patient.

— Viens ici, ma belle, dit-il.

Je ne peux pas résister, choc au cœur et au ventre. Il me serre contre son corps raide. Une main comprime ma poitrine. Sa bouche contre mon cou a l'odeur aigre du tabac. Il palpe un sein dans mon soutien-gorge rembourré, l'autre main descend plus bas.

Vers le lieu de l'absence.

— Je veux savoir, dit-il.

Il me bascule, m'enfonce, m'enracine au sol. Il soulève ma jupe et découvre ce qu'est une hijra.

C'est un viol du secret. De l'ancienne douleur, de la déformation dissimulée, de ce qui nous ancre et nous définit et fait de nous des divinités monstrueuses et ardentes. C'est le lieu des braises et des échardes, de la rupture et de la renaissance.

C'est là où ma chair profanée a refusé la réalité de la lame en se tordant, en se torsadant, en s'opposant à une cicatrisation douce. La plaie, un serpent blanchâtre, se termine par une minuscule bouche ouverte. Nous ne nous regardons jamais entièrement nues dans la glace pour ne pas démentir l'harmonie de nos formes. Sans cesse dans nos rêves la lame se manifeste et nous rappelle notre origine. Nous ne serons jamais débarrassées de cette blessure ; nous n'en serons jamais affranchies. Nous la portons néanmoins avec grâce et fierté, notre enfant démesuré.

Il a soulevé mon sari. Saisi d'un désir trouble et d'une envie de violence, il voulait voir, voulait être choqué, se repaître. Je suis à la fois un objet de tentation et de vengeance.

Lorsqu'il a passé la main sur ma cicatrice, cela m'a fait le même effet que la lame. Le même tranchant, la même brûlure. La même définitive séparation de moi-même. Je me suis vue alors à travers le regard froid du refus. J'ai vu l'aberration que je suis. Un être qui n'aurait pas dû être.

Il m'a retournée, face contre terre.

Il pesait lourd, trop lourd pour son corps seul : c'était le poids de sa haine qui m'étouffait, le poids de tout ce qui nous interdit, le poids de l'infamie. J'ai cessé de respirer, accueillant presque avec soulagement la fin annoncée depuis mon enfance.

Le visage à présent enfoncé dans la terre, les narines bouchées par la poussière de tout ce qui a vécu là, de tout ce qui est mort là, j'ai abandonné, je l'avoue, moi, la guerrière. J'ai oublié mes promesses. Je me suis résignée.

Après cela, me suis-je dit, il ne me reste plus qu'à mourir. Je l'accepte.

Puis, d'un seul coup, il m'a semblé plus léger : le poids du monde a disparu.

Quand je me suis retournée, j'ai vu qu'il gisait à terre dans une mare noirâtre qui ne pouvait être que son sang.

Et, dressée au-dessus de lui, déesse meurtrière, Veena le contemplait, immobile. Son visage, une glaise pétrifiée. Serrée dans sa main, il y avait une bouteille de verre brisée qui lui avait entaillé la paume.

Elle a vu l'homme me suivre. Elle a compris. Elle a toujours su lire les intentions des hommes dans leurs moindres gestes, dans chaque expression, dans leur silence.

Moi, flottante et oublieuse, je dansais sur une lumière que j'étais seule à voir.

Veena nous a suivis. Elle n'osait pas trop s'approcher, incertaine de ce que je pouvais désirer, elle qui savait si peu des hijras. Elle s'est dit, aussi, que je serais capable de me défendre.

Mais ensuite, me voyant submergée, assaillie, soumise, réduite à moins que la poussière dans laquelle j'étais vautrée, un corps écrasé comme si c'était là son seul destin, elle a eu l'impression de se voir elle-même, et sa rage a fleuri, blanche. De son ventre, elle s'est aussitôt déployée dans tout son corps. Elle a guidé la main de Veena vers le sol, vers la bouteille qu'elle savait là sans avoir besoin de la chercher, une bouteille au goulot brisé, juste là où il fallait, parce que parfois une volonté plus forte peut plier le monde à ses exigences, et elle l'a saisie et elle a serré, ne sachant même pas qu'elle s'entaillait ainsi la main, et elle l'a enfoncée dans le cou de l'homme.

Il n'a même pas crié.

Il s'est effondré sans piper mot.

Je me suis relevée. Nous nous sommes regardées, étourdies. Elle m'a prise dans ses bras, je lui ai embrassé la paume, un peu de son sang est entré dans ma bouche. Nous avons souri, dents brillantes dans l'obscurité. À nos pieds, l'homme gisait, mort, son pantalon abaissé sur ses maigres mollets et sa chemise relevée.

Son visage déformé par le choc était affreux à voir. Mais il nous a soudain semblé minuscule, une chose étroite, juste bonne à piétiner. Ainsi anéanti, il était humain, simplement humain, avec ses besoins, sa stupidité, son inutilité, ses peines. Un homme, rien de plus.

C'était fait.

Le vent s'est mis à souffler. Nous avons frissonné sous la caresse de ce ciel infini. Notre peau s'est hérissée. Nous nous demandions si la foudre allait nous tomber dessus pour l'acte que nous venions de commettre, mais nul regret ne nous troublait.

Sans dire un mot, nous avons remis de l'ordre dans ses vêtements et l'avons traîné vers un tas d'immondices où nous l'avons tant bien que mal caché. Déjà, les rats, silencieux et affamés, se rassemblaient. Et les vautours, dans le ciel, tournoyaient.

Nous sommes retournées au camp. J'ai suivi Veena et, cette nuit-là, je me suis couchée à côté d'elle. Nous avons dormi sans rêves jusqu'au lendemain matin.

Une fois réveillées, voyant nos mains et notre visage encore maculés, nous nous sommes dépêchées d'aller nous laver. Malgré le tremblement dans notre corps, nous nous sommes mises en marche avec les autres, espérant que la mort de l'homme ne serait remarquée que lorsque nous serions déjà loin. Espérant que, pour une fois, le destin jette les dés en notre faveur.

Les femmes de la Ruelle et les hijras étaient surprises de nous voir cheminer ensemble, presque collées l'une à l'autre, mais elles n'ont rien dit. Peut-être savaient-elles ce que nous venions de vivre. Elles ne diraient rien : il y allait de notre survie à toutes.

Nous avons marché comme des somnambules, comme des automates, les yeux hantés, tandis que le soleil brillait.

Toute la journée, nous avons attendu les cris. Ceux qui indiqueraient que le cadavre avait été découvert, qui déploieraient vers nous leur onde de choc et nous emporteraient dans leur dévastation.

Ils ne sont pas venus.

Lorsque la nuit tombe, nous sommes toujours debout ; vivantes.

Enfin, lorsque nous nous arrêtons, nous osons nous regarder et mesurer notre acte.

Les yeux de Veena sont encore emplis de fureur. Elle ne regrette rien, n'éprouve aucun remords, même si tuer un homme pèse forcément sur n'importe quelle conscience. Mes yeux, je le sais, sont emplis d'angoisse. Je crains qu'elle ne soit punie. Si elle est arrêtée, ou pire, lynchée par la foule, je serai là, je partagerai son châtiment comme sa culpabilité. Même si nous ne sommes coupables de rien.

Incapables de manger ou de dormir, nous nous éloignons des autres. La danse des femmes et des hommes se poursuit autour de nous, jamais elle ne s'interrompra, même pendant que le monde s'effondre, mais nous sommes, nous, en dehors de tout. Je suis encore révulsée au souvenir de cet homme, mais une part de moi parvient à avoir pitié de lui. Lui aussi est asservi. Être homme l'a condamné, condamné à être ce qu'on attend de lui, comme moi, comme Veena, comme Chinti.

La nuit, nous plongeons de nouveau dans notre terreur. Le ciel fulmine, rendu orangé par les feux de camp. L'abîme nous guette, nous attend. Demain est l'inconnu qui nous entoure. Demain, nous pourrions être brûlées vives ou jetées en prison pour attendre la pendaison. Demain, tout espoir de sauver Chinti pourrait être anéanti.

Veena aussi repense à son geste. La bouteille était là, à ses pieds. Elle l'a saisie. Et elle a vu la jugulaire saillante, bleu-noir, de l'homme, et elle a eu ce geste définitif, le geste le plus parfait, le plus irrémédiable : sans peur ni conscience, avec une rage contenue, une délibération souveraine, et la certitude d'en avoir le droit, elle lui a tranché la gorge.

Est-ce cela qu'il a ressenti, lui, quand il m'a jetée à terre ? La certitude de son droit absolu ? Est-ce cela qu'ils ressentent tous ?

Dans cet homme qui m'attaquait, Veena a vu tous les hommes. En me voyant à terre, elle a vu se débattre toutes les femmes. C'est cela qui a guidé sa main.

Nous nous regardons, et savons que nous n'avons pas à revenir sur ce geste : oui, nous en avions le droit.

Des voix nous parviennent en une musique incertaine. Nous sommes seules néanmoins, unies par ce crime, unies par notre certitude, sous le regard invisible des dieux invisibles.

Cette nuit, je l'entends se débattre dans ses rêves. Sa main s'ouvre et se referme, la plaie saigne de nouveau. Je la réveille.

— Chinti… soupire Veena.

— Oui, Chinti. Elle seule compte à présent. Rien d'autre.

Elle se redresse et contemple la marée de chair, peut-être se rappelle-t-elle alors qu'eux non plus ne possèdent pas grand-chose, qu'ils s'accrochent au rien pour survivre. Et puisqu'on leur fait miroiter le sourire des dieux, pourquoi ne croiraient-ils pas que ce sourire est pour eux ? C'est comme jouer à la loterie : on ne gagne jamais mais on continue à croire. Sauf qu'on ne tue pas au nom de la loterie.

— Dieu, c'est la plus grande des loteries, dit Veena. On parie sur l'invisible et sur l'impossible, mais on ne gagne jamais.

Et elle rit enfin d'un rire franc.

Lorsque la voiture arrive à Bénarès, Chinti ne s'ennuie plus. Elle regarde tout ce qui se passe dans la ville sainte, l'activité incessante des marchands, ouvriers, chauffeurs de touk-touks, les vitrines des magasins, le scintillement des saris, l'étalage étourdissant de bijoux, les chaussures de femme à talons si hauts qu'elle en écarquille les yeux, elle qui a toujours marché pieds nus. Et puis la nourriture, quelle folle abondance dans les rues ! L'odeur exquise des *pakhoras* d'oignon, d'aubergine, de piment, et des *gulab jamun*, des *rasmallai* et des *jalebis* sucrés la fait se trémousser d'impatience et de faim même si Shivnath l'a gâtée pendant tout le voyage.

Ils s'arrêtent pour en acheter, et Shivnath regarde avec ravissement sa petite déesse plonger sa bouche dans le sirop sucré.

Mais plus loin, la route, s'écartant de la ville, bifurque pour longer le Gange et ses *ghat*, les gradins de pierre menant jusqu'au fleuve. C'est là que Chinti voit les bûchers. Sa joie, aussitôt, s'éteint. La mort est trop présente ici. Elle le comprend tout de suite de la sagesse de ses dix ans. Elle voit les corps demi-brûlés, les corps complètement incinérés, les corps encore en attente du feu. Elle voit des hommes maigres, hâves, demi-nus, dont le travail est de les offrir au feu. Et les familles, fragiles dans la lumière orangée, visages ravagés de peine. Elle a vu, dans la Ruelle, bien des cadavres ; d'animaux, de clochards, d'adultes et d'enfants. Mais ici, c'est l'industrie de la mort. Une longue file de corps qui attendent leur tour. Et après ? se demande-t-elle. Que leur arrive-t-il ? Et ceux qui sont seulement jetés dans l'eau, emportés par le fleuve, dévorés par les poissons ? Où va leur âme ?

L'inconnu imprègne trop cette ville pour que l'on s'y sente bien. Chinti se met à avoir peur de ce lieu étrange. Elle a l'impression que lorsqu'elle respire, elle fait entrer en elle toutes ces cendres, qui la consumeront de l'intérieur. Lorsqu'un mendiant aux cheveux fous tape à la fenêtre, elle se jette dans les bras de Shivnath.

Celui-ci la prend sur ses genoux, la serre, la berce doucement.

— N'aie pas peur, mon enfant, lui dit-il. Je te protègerai de tout.

Il croise dans le rétroviseur le regard du chauffeur et s'étonne de la fureur qu'il y lit. Il se dit qu'il doit le virer, avant de se consacrer de nouveau à Chinti.

Dans la nuit qui tombe, ses bras enveloppent le petit corps tendre, sa main caresse la peau : les bras, la taille, les joues fraîches, les pieds minuscules. La tendresse et le désir se mêlent dans ses gestes. L'odeur de Chinti est dans ses narines. Il est dans un lieu de délices qu'il n'avait pas osé imaginer. Il ne reste plus qu'une étape, s'il veut connaître l'extase.

Shivnath n'a pas peur de l'odeur de la mort. Il n'a pas peur des cadavres non plus. Il est plus ou moins convaincu qu'il n'y a rien après, que tout se passe ici, maintenant, dans ce présent qu'il cultive avec tant de finesse et où s'est construite une vie si délicieusement riche, si parfaitement accordée à ses désirs que, s'il croyait au karma, il se dirait qu'il a dû être un saint dans une vie antérieure. Seul un saint pouvait espérer jouir, dans sa prochaine vie, à la fois de la sainteté, de la richesse et du plaisir. Cela dit, les dieux hindous, si l'on en croit les livres sacrés, ne se privent généralement pas non plus. Ils vivent dans des palais somptueux, entourés de leur(s) épouse(s), d'*apsaras*, de serviteurs. Leur moindre désir est exaucé, de sorte qu'aux yeux des croyants, les dieux vivent dans une opulence bollywoodienne. En revanche, les prophètes humains, eux, sont censés mener une vie d'abstinence exemplaire.

Shivnath sait qu'il doit avancer masqué. L'époque est moins tolérante que jadis. Avant, une fillette de prostituée de dix ans sous la protection d'un *swami*, cela n'aurait pas fait scandale. Maintenant, c'est différent. Il doit évaluer la crédulité des croyants et se tenir au courant des informations qu'ils reçoivent sur leurs téléphones depuis les quatre coins du monde. Il suffirait qu'une foutue féministe ait vent de lui pour que les médias se précipitent. Il le sait, chacun est désormais soumis au jugement *international*, qui n'a rien à voir avec le jugement de son peuple, qui se fout royalement des enfants des prostituées. Le politiquement correct règne, et il faut montrer du respect aux femmes, aux enfants, aux pauvres, aux intouchables etc. Même un Premier ministre doit faire semblant de se plier au jugement international, pense Shivnath, mais en réalité il continue de faire ce qu'il veut. Tant que tout cela reste entre nous, pas de problème. On peut violer les femmes et massacrer les musulmans à condition de ne pas se faire prendre. Ces foutus médias nous exposent sans cesse au regard des Occidentaux, qui, du moins en apparence, disent respecter les femmes et s'opposer à toute forme d'injustice sociale !

Donc, avancer doucement.

Les bûchers défilent ; il n'y a ni début, ni fin. Chinti ne s'arrête pas de trembler. Elle se cache le visage contre le torse de Shivnath. Tout en lui est rassurant, surtout cette tendresse qui la protège de la laideur, des odeurs et du chagrin. Elle aussi sent qu'elle a atteint un lieu de bonheur absolu qu'elle ne voudrait jamais quitter. Rester là, dans la belle voiture, aux côtés de Shivnath, rouler doucement sur des routes cahoteuses à l'abri de la chaleur et des gens, et surtout de ces enfants qui tapent régulièrement la vitre pour demander l'aumône, avec leurs plaies, leur difformité, leurs yeux immenses qui ressemblent trop aux siens propres. Ne jamais en sortir, ou alors seulement pour entrer dans une belle maison comme celle de Shivnath, seulement pour y vivre sa vie de princesse, de déesse.

Surtout, surtout, ne pas revenir en arrière vers la prison où elle a grandi. Parfaire l'oubli, ici, dans ce monde clos dont elle perçoit inconsciemment la volupté. Elle respire le jasmin des fleurs qui ornent le tableau de bord, elle sent le whisky que Shivnath a bu tout au long du voyage, et dont l'aigreur sur son haleine ne lui semble pas repoussante, et elle vit comme voudraient vivre tous les enfants du monde, dans un cocon où tous les dangers sont écartés, où seules la beauté et la sécurité l'enlacent.

Que reste à jamais dehors le grand feu de bois nourri de chair humaine !

Bientôt, le crépuscule de Bénarès imprègne Shivnath de sa mélancolie. Le ciel se brouille de fumées transpercées par de brefs rayons qui les irisent avant de s'éteindre. Le brun, l'indigo, le rouge du couchant s'entremêlent et se fondent dans les fulgurances orangées des bûchers.

Bientôt ne restent plus que les feux, les chants liturgiques qui s'élèvent des bords du Gange, et les flammèches des lampes à huile flottant sur l'eau. C'est un paysage qui ressemble aux derniers instants du monde. Les cadavres entiers, ou ce qu'il en reste après l'incinération, sont emportés dans l'eau huileuse, lente, noire, des siècles. Les chants, rythmés par les *manjiras*, les tablas et les cloches des temples, semblent altiers, même lorsque les voix sont maladroites. Les jeunes prêtres vêtus de jaune, torse nu, front orné du *tilak* rouge et jaune, semblent tous beaux ; leur peau brune et leurs cheveux noirs reflétant les lumières.

Bénarès est le lieu de la dernière prière.

Des centaines de milliers de gens, pailles transportées par une rivière en crue, plongent dans les eaux sombres, la boivent, l'absorbent par tous les pores, un fourmillement d'humanité dont la foi déborde de ses rives précaires et se nourrit de la spiritualité du lieu, de son antiquité, de son positionnement auspicieux et des mythes qui le nourrissent. Personne ne voit plus ce qui sert de fondation à la beauté inhumaine de la ville : des cendres, encore des cendres, et la crasse, et la décomposition, et l'aveuglement.

Lorsque la nuit tombe, vient l'heure grandiose des bûchers, leur solennelle écriture sur le ciel noir, la ponctuation des braises et des os brisés et des cervelles éclatées, le raclement des pelles sur le sol, le rayonnement des corps. Pendant que Chinti se cache le visage, Shivnath, lui, regrette la brièveté du passage. Son bonheur, il le sait, ne durera pas. Un jour, tôt ou tard, lui aussi viendra à Bénarès pour être offert aux eaux du Gange. Il plongera dans la pourriture des siècles. Il se désagrégera dans les flammes.

Et il disparaîtra, comme s'il n'avait jamais vécu.

Il se verse un grand verre de whisky et boit, boit comme si la brûlure de l'alcool dans sa bouche, dans son gosier, dans son œsophage, pouvait maîtriser l'autre, toujours présente, toujours en embuscade. L'alcool lui monte à la tête. Il se met à pleurer silencieusement de désir. Sa main sur le corps de Chinti, caresse volée.

Jusqu'où ira-t-il ? se demande-t-il. Une fois arrivés, imposera-t-il à son instinct la même volonté qu'il a eue jusqu'ici ?

Sa main s'est glissée sous la jupe sans qu'il s'en rende compte. Elle effleure les jambes maigrelettes, remonte un peu vers la cuisse, là où la peau est si tendre, si fraîche, qu'elle semble faite de la matière des nuages ou des rêves. Une cuisse d'enfant, pense-t-il, ému, est un cadeau du ciel. Une preuve du miracle de l'existence.

Mais voilà que Chinti se redresse, s'échappe ; braque sur lui des yeux immobiles et nus. Un regard bien trop adulte qui l'oblige à se dérober, à retirer précipitamment sa main, tandis qu'une terreur naît au fond de lui face à la lourdeur de ces yeux.

La fourmi a tout vu, au cours de sa brève vie dans la Ruelle. Elle *sait* tout. La part de l'enfant en elle tente de rejeter ce qu'elle vient de comprendre, tente de reconstituer le cocon dans lequel ils ont été enveloppés pendant tout ce voyage, elle et Shivnath. Mais l'autre part d'elle, la fille de Veena et de personne d'autre, sent s'éveiller en elle une rage minuscule mais acérée, une rage au nom de Veena. Et ce petit feu commence alors à lui révéler ce qu'elle n'avait pas imaginé jusqu'ici. Elle n'a peut-être jamais vraiment été dupe. Peut-être voulait-elle, de toutes ses forces, de toute cette volonté qui l'a gardée entière jusqu'ici, entière et debout et sauve de la Ruelle, que Shivnath soit le sauveur qu'elle attendait : lui, le dieu qu'il avait prétendu être, et elle la déesse qu'il élèverait à ses côtés, deux soleils vertueux. Mais la rage au nom de Veena lui raconte une autre histoire, bien plus banale, bien plus triste. Sous ses pieds, le petit nuage flottant se désagrège alors que naît en elle une évidence au goût amer. La fourmi sort ses mandibules, pour mordre, pour se défendre.

Shivnath tente de la rassurer d'un sourire, lui offre, vite, un chocolat, puis un coca, lui pince la joue affectueusement, mais effrayé, au fond de lui, terrifié de perdre sa petite déesse, sa petite femme précieuse, sa miraculée. Il respire doucement pour ne pas l'effaroucher, pour retrouver la douce pliure de son corps contre le sien, cette confiance qui l'inondait de grâce. Mais elle reste raide et droite, quelque chose d'inflexible dans le visage, tandis qu'elle lutte contre son propre instinct.

Elle a fini par manger le chocolat, presque à contrecœur, et boire le coca. Ensuite, elle a fermé les yeux, préférant peut-être ne rien voir et se laisser bercer par le roulis de la voiture sur les mauvaises routes. Sur sa bouche, un pli d'inquiétude. Un frémissement dans ses narines, comme celles d'un animal flairant le danger.

De nouveau, la brûlure du whisky fait frissonner Shivnath. Il s'imagine poser ses lèvres sur la petite bouche, y goûter le sucre du dernier gâteau qu'elle a mangé, et le chocolat, et enfin le goût de Chinti elle-même.

Encore, dit le whisky. Patience, répond Shivnath.

Il l'apprivoisera. Elle est à lui. Il est le conquérant.

La voiture freine brutalement. Une vache est couchée en travers de la route. Mais dans le rétroviseur, c'est Shivnath que le chauffeur regarde fixement.

Shivnath se redresse, agacé.

— Contourne-la, idiot ! dit-il.

Le chauffeur s'exécute.

Enfin, ils arrivent au temple que Shivnath a fait construire aux abords de la ville, surplombant les *ghat* et les bûchers alignés. On l'y accueille comme un roi. Il tient dans ses bras la petite épuisée.

Il parle aux prêtres rassemblés de la vision qu'il a eue et qui lui a révélé la nature divine de Chinti. Comment Kali est sa protectrice et comment l'enfant a accompli des guérisons miraculeuses (mensonge éhonté, mais que personne n'osera contredire). Il ajoute que les cloches du temple ont sonné toutes seules au moment de sa naissance ; et que le feu en elle brillait si fort qu'il a guidé les pas de Shivnath vers les lieux misérables où elle vivait.

Emporté, Shivnath brode, élabore, s'enflamme. Il devient grandiloquent, tandis que les prêtres le regardent avec une défiance qu'ils ont du mal à cacher. Ils voudraient lui dire ce qu'ils pensent de cette mascarade, mais Shivnath a l'argent et le pouvoir. Ce temple est le sien. S'il faut fermer les yeux sur cette affaire pour accomplir leurs tâches pieuses, ils l'acceptent avec le pragmatisme de leur vieille, vieille religion.

— Nous la consacrerons dans une grande cérémonie lorsque les pèlerins seront arrivés, annonce Shivnath.

Au moment où il va l'emmener dans la maison derrière le temple, où il loge d'habitude, le plus vieux des prêtres l'arrête.

— Il vaut mieux qu'elle dorme dans le temple, dit-il. Ainsi, nous la purifierons chaque jour jusqu'à sa consécration.

— Mais elle est déjà pure ! s'exclame Shivnath.

— Nous ne devons négliger aucune précaution, Swamiji, répond l'autre. Il ne faut pas qu'il y ait le moindre doute à son égard. Je ne dis pas cela pour nous mais pour nos fidèles.

Shivnath fulmine, mais devant les yeux graves du prêtre, il est forcé d'accepter.

Il porte Chinti dans une petite pièce attenante à la grande salle du temple, où les prêtres posent un matelas mince à même le sol, ainsi qu'un drap léger pour la couvrir. Chinti sera là, seule, parmi les images et les statues des dieux et des déesses qui la regardent avec une sorte d'indifférence moqueuse à travers les brumes de l'encens.

Bénarès ; la foule, dense, compacte ; les gens, collés les uns aux autres. Les femmes de la Ruelle pensent que c'est fait exprès, pour mieux les toucher, mais c'est surtout parce qu'il n'y a pas d'espace. Aucun espace, dans ce pays trop peuplé, pas d'espace pour respirer, pour échapper à la meute, à la horde. Les odeurs deviennent insupportables, les bruits encore davantage.

Mais nous n'avons pas été écharpées. Personne n'a remarqué l'absence de l'homme que Veena a tué. Sa vie avait-elle si peu d'importance ? Tout comme Veena, si elle mourait au bord de la route ? Après tout, l'individu ne compte pas. Nous sommes des fourmis engluées, condamnées à suivre cette route entamée à la naissance et qui nous conduira à la mort. Les fourmis marchent en enfilade, perçoivent le passage des autres, la trace de leur faim, et c'est tout ce qu'elles cherchent, de la nourriture pour aujourd'hui, pour elles et leurs pareilles, puis de la nourriture pour demain, et ainsi de suite, jusqu'à épuisement. Parmi tous ces êtres piétinant la même route, comment en distinguer un seul ? Comment en regretter un seul ? Je n'ai rien à craindre, pense Veena, tout homme que tu étais, avec ta force brute, tes mains vides, ton sexe qui cherchait un trou où se soulager, même celui d'une hijra, tu ne vaux pas plus que moi, la lie de la lie. À la fin, ton passage aura été bref et aveugle : l'oubli sera ton suaire.

C'est ainsi, c'est ainsi. Tous fourmis, sauf une seule, la Fourmi, la seule qui pourrait s'échapper, Chinti. Sauf qu'elle ne s'est pas échappée non plus ; parce qu'une main s'est tendue et qu'elle y a grimpé de ses petites pattes grêles, folle d'espérance, d'innocence. Que sait-elle des griffes au bout de ces doigts, et de la violence avec laquelle la main se refermera sur elle le moment venu ? Tous fourmis sur leur chemin de cendres, marchons, marchons, la fatigue importe peu, c'est la vie qui fatigue, rien d'autre, nous aurons bien le temps de nous reposer après, alors marchons dans ce soi-disant pèlerinage où la horde ruine la terre et la rend stérile, où l'on vole, viole, tue, meurt, tout cela au nom des dieux. Poursuivons, marchons, parce qu'il n'y a pas le choix : immobiles nous serons piétinés comme les herbes, comme les plantes, comme les vers, comme les fourmis. Autant par les hommes que par les dieux, s'ils existent !

La pensée de Veena est une ruche où les abeilles vrombissent, tournent en rond, observent tout ce qui l'entoure, à l'affût du danger. Elle n'y peut rien. Son corps exige Chinti de toutes ses cellules. Elle veut marcher plus vite, mais cette masse de chair suante, odorante, suintante, pieuvre aux mille tentacules, l'en empêche.

Elle doit se plier au rythme des autres, à leur cadence heurtée. Et son inquiétude monte, monte, tout comme la mienne.

Mais lorsque nous entrons dans la ville elle-même, quelque chose en nous trébuche.

Cette ville ne ressemble à aucune autre. Elle est éclectique, antique et moderne, absurde et grotesque, terrible et magnifique. Elle dépasse notre compréhension du monde. Le ciel est d'une étrange couleur, ponctué par les sommets des temples, les *gopurams*. La poussière et les fumées n'arrivent pas à masquer la riche couleur des temples et la texture de leur pierre lissée par les siècles. Partout se manifestent des esprits errants et une profusion de prophètes et de sages avec leurs yeux de visionnaires, le tout noyé dans le parfum de la marijuana. Tout cela dans une atmosphère presque apaisée, comme si le lieu parvenait à éteindre, le temps de leur passage ici, la tentation de la violence humaine.

Pourtant, ce sont les mêmes gens, la même multitude, la même foule. Mais quelque chose, sous nos pieds, semble altéré. Est-ce parce que la conscience de la mort est si présente ? Est-ce cela qui soudain éclaire les visages, adoucit les mots et les humeurs ? Car on doit mériter sa vie prochaine. Donc, on fait gaffe, on y pense à deux fois avant d'agir, on marche sur la pointe des pieds pour ne pas écraser les fourmis. Arriver à Bénarès, c'est entrer dans l'antichambre de la mort. Chacun est obligé de se tenir sur ses gardes.

— Imagine si tu fais un faux pas ici, si tu commets une offense, un péché ! murmure Veena. Vlam ! Tu renais limace dans ta prochaine vie !

Elle rit en voyant cette foule devenue soudain si docile, une masse pieuse de limaces rampant autour d'elle.

— Et toi ? je lui demande. Tu n'as pas peur de ta prochaine vie ?

— Non. J'ai fait ce que je devais. Et si je renais sous la forme d'un insecte, tant mieux ! Ma vie sera brève et moins triste. Et puis, si je suis une mouche à merde et qu'on me dit que j'ai été une prostituée dans ma vie antérieure, je leur répondrai que maintenant au moins, j'aime la merde dans laquelle je patauge !

N'y tenant plus, elle éclate franchement de rire.

Ah, Veena, Veena ! Rien ne viendra à bout de sa volonté. Rien ne la fera vaciller.

Elle continue de regarder la ville avec des yeux neufs et curieux. C'est ainsi qu'elle remarque que, tandis que tous se massent comme un banc de poissons remontant une rivière, tous ensemble, riches, pauvres, touristes, locaux, hautes et basses castes, prêtres et prostituées, ils s'écartent néanmoins instinctivement lorsque passent certains habitants de la ville, créant une bulle d'air et de silence autour d'eux : ce sont les Doms, ces plus qu'intouchables dont le métier est de brûler les morts.

Même si on a besoin d'eux pour les bûchers, ils sont plus bas encore que les *chamars* qui travaillent le cuir, puisqu'ils plongent les mains dans la chair des hommes. On les rattache au mythe de Harischandra, un roi de haute caste, très vertueux, qui, comme Job, fut mis à l'épreuve par les dieux pour tester sa vertu et sa foi. Ayant abandonné toutes ses possessions, Harischandra est vendu à une caste d'intouchables dont le métier est de brûler les morts. Il accomplit son terrible travail jusqu'au jour où sa femme, qui a été vendue, elle aussi, lui apporte le cadavre de leur fils, mort de faim, et lui demande d'incinérer le corps. Harischandra accepte mais exige de sa femme qu'elle paye son dû, comme tous ceux qui font appel aux services de cette caste. Elle lui répond qu'il sait bien qu'elle est trop pauvre pour payer. Alors, lui dit-il, nous ne pourrons pas brûler le corps de notre fils. C'est là que, toujours selon le mythe, les dieux, voyant que rien ne viendra à bout de sa droiture, interviennent et les emmènent au paradis.

Cela dit, étant omniscients, ils auraient pu voir la pureté de son âme dès le début et lui épargner toutes ces souffrances…

L'un des *ghat* de Bénarès porte aujourd'hui encore le nom de Harischandra. Mais ce n'est pas pour autant que les Doms sont des rois, même déchus. Dès l'âge de dix ans, ils s'activent autour des bûchers. L'odeur imprègne leur peau, qui devient grise à force de vivre parmi les cendres. Ils manipulent tous les cadavres, jeunes, vieux, malades, amputés, en morceaux, décapités, ou si parfaits qu'on a du mal à croire qu'ils sont morts. Avec le temps, ils ne les voient plus. Enveloppés de leur suaire blanc, les défunts sont tous pareils, tous voués à la désintégration. Une fois les corps brûlés, les enfants sont chargés de retrouver ce que le feu n'a pas détruit. Ils marchent parmi les cendres à la recherche de bijoux, de pièces ou d'ustensiles, et pataugent dans la boue du Gange pour récupérer ce qui pourrait être vendu. Ils ramassent les morceaux de bois qui n'ont pas été brûlés pour les ramener à la maison, où ils seront utilisés pour cuisiner. Tout dans cette industrie est récupérable. Grande leçon, pour notre époque !

Pendant ce temps, le Gange, imperturbable, austère, fort de ses millénaires et de ses trois mille kilomètres, poursuit sa longue route vers le golfe du Bengale, charriant cette pollution qui ne l'a jamais empêché de couler.

La ville est tout aussi imperturbable. En dépit de l'ignominie des hommes, elle résistera. Cela lui importe peu. Chacun trouvera ici son compte. Une ville sainte est une ville sainte, et même les excréments y sont bénis. Ceux dont le métier est de les évacuer en les transportant dans de grands paniers sur leur tête sont, en quelque sorte, bénis eux aussi. Par la merde.

On entre ainsi dans la ville comme on entre dans les ordres : avec soumission, sans poser de questions, ou alors l'on vous répondra en vers, en fables, en mythes, même le chauffeur de rickshaw, même le marchand de légumes, et bientôt vous ne saurez plus de quoi vous vouliez parler tant vous serez fasciné par ces histoires. Ici, vous avez l'impression que vous aussi faites partie d'une histoire dont on se souviendra toujours, bien après que vous serez parti en fumée.

Ah, Bénarès, Bénarès ! Il n'y a pas de ville plus trompeuse, plus perverse, plus prodigue en consolations.

Titubant, les yeux écarquillés, le cœur déboussolé, les pèlerins y cherchent un endroit où s'installer pour se reposer, se sachant enfin arrivés à la fin de leur voyage de vivant.

Ainsi, convergent-ils ensemble vers le temple de Shivnath.

QUATRIÈME PARTIE

Shivnath

Seuls. Enfin. Enfin.

Après tout ce temps, il lui semble qu'une bulle s'est refermée sur eux deux, une bulle-monde, une bulle-univers où personne ne peut entrer, et seuls, enfin, seuls, cadeau trouble et douloureux et éblouissant, sa fille, son enfant, seuls, enfin, enfin. C'est sur la pointe des pieds qu'il est entré, la portant dans ses bras, brune offrande à l'immensité de son amour. C'est en retenant son souffle qu'il l'a déposée sur le matelas, lui-même agenouillé, souriant, scintillant de sa joie.

Il lui a fait boire du lait auquel il a ajouté un peu, si peu, de chanvre indien. Juste pour l'aider à dormir dans ce lieu peu familier, sur ce matelas trop mince. Il a lui-même enlevé les beaux vêtements qui lui irriteraient la peau avec leurs fils d'or, leurs paillettes et leur organdi raide. Il l'a recouverte d'un drap, mais une fois endormie, elle l'a écarté, elle s'est tournée pour mieux rêver et il voit son dos nu, si tendre, recouvert d'un film de sueur, et il n'a pu s'empêcher d'y poser la main ; sa main d'homme qui la couvre presque entièrement.

— Ah, Chinti, Chinti... murmure-t-il, étourdi.

Il se penche vers elle, se penche, se dit que personne ne le voit, que pour une fois, une seule fois, il pourrait, il pourrait, mais quoi, que lui fera-t-il, se demande-t-il, lui qui n'a jamais possédé une enfant, c'est une limite qu'il n'a pas franchie, mais que sont les limites sinon des barrières que nous élevons par ignorance et par peur, des interdits arbitraires dont les hommes s'entourent, parfois à juste titre, mais souvent sans raison, juste parce que la société en a décidé ainsi, et qui dit que la société en sait davantage qu'un homme saint, pourquoi devrait-il, lui, respecter ces règles quand il sait mieux qu'elle de quoi il en retourne, voyons, ne nous faisons pas d'illusion, cette enfant n'est pas une enfant, cette enfant qui est un être de grâce et de beauté sera dans un an, même pas, dans six mois, ou même dans trois, un corps vendu de plus, vendu à la lubricité des hommes, un naufrage de plus sur les récifs du monde, enfant de grâce ou pas, elle sera méconnaissable, amère, affligée, brutalisée, dévergondée, non pas ça pour elle, pour Chinti, pas ça, pas cet avenir de squelette aux yeux immenses de noyée, jetée à d'autres hommes qui posent sur elle leurs sales pattes, leurs regards torves, leur bouche malsaine, leur, leur, non, pas ça pour elle, pour Chinti, non, alors que lui a reconnu ce qu'il y a en elle de merveilleux, de miraculeux, il n'est pas un violeur d'enfant, non, ça, jamais, jamais, il sera son adorateur, il la respectera, il lui offrira ce à quoi elle a droit, l'amour, l'adoration, une si douce jouissance, que ne donnerait-il pas, seigneur, pour cela, et le whisky gronde dans son ventre et son souffle est brûlant et les larmes brouillent ses yeux, et il est empli d'une lave qui n'attendait que cette nuit, que cet instant-là pour éclater, c'est maintenant, maintenant, pas le choix, qu'il doit la laisser jaillir, c'est son amour entier qu'il veut lui donner, son serviteur, son esclave, il oublie toutes ses ambitions puériles pour se dire qu'il est temps de s'agenouiller devant la seule, la vraie, déesse.

Dans sa tête, tout se mélange : désir d'homme, adoration mystique, superstitions foireuses, spiritualité de frime – tout ce qui constitue Shivnath et qui l'a conduit ici, à cet instant.

Enfin.

Nous y sommes, enfin, enfin. Devant ce temple au dôme sculpté, sur lequel mille dieux et quatre mille bras dansent, piétinant les pécheurs, étranglant les monstres, braquant leurs yeux exorbités sur les pèlerins.

Nous y sommes, nous, femmes de la Ruelle et hijras réunies, enfin parvenues au bout de notre quête.

Personne ne parle. Dans les regards se lisent l'angoisse d'avoir fait tout ce chemin pour rien, la peur des prêtres, et la haute fureur qui nous a soutenues tout ce temps, pendant tout le voyage.

Nous restons là, immobiles, vacillant entre toutes les émotions qui nous ont guidées jusqu'ici.

Que fait-elle, Chinti, en ce moment ? Où est-elle ? À quoi pense-t-elle ? A-t-elle peur de la cérémonie de consécration annoncée ? Pense-t-elle à sa mère ? Sa mère aux mains sanglantes ?

Mais n'avons-nous pas tous les mains sanglantes ? Et eux aussi, les prêtres, dont la parole a laissé dans les pierres et les chairs une traînée meurtrière, musulmans, hindous, chrétiens, intouchables, femmes, tous y sont passés, et puis la horde qui suit, la horde qui s'embrase si facilement, la horde qui abandonne si vite toute pensée autonome et ne désire plus que l'exutoire de la violence… Ah, ce pays, ce pays lui aussi a les mains sanglantes et ses babines retroussées découvrent des crocs et non des dents. Il a les dieux qu'il lui faut.

Veena et moi contemplons ce temple qui semble une forteresse autant qu'un artifice, si neuf à côté des temples assis sur leur socle de siècles, bien trop lisse et trop joli, avec ses couleurs vives. La patine n'a pas commencé son travail ni le vent son usure ; seules la poussière et les fumées affadissent le lustre des ors et des marbres, mais les serviteurs sont là pour tout balayer, astiquer, récurer, pour que, pendant une heure ou deux, le temple resplendisse de nouveau.

Veena est tendue, comme prête à exploser. Elle est à l'affût.

Et soudain elle entend, nous entendons, sortie des entrailles du temple, une petite voix trop familière.

La nuit s'avance. Deux chemins s'offrent à Shivnath. À ses pieds, son ombre dédoublée.

La nuit s'avance. Il n'a plus beaucoup de temps.

L'instant où tout se décide, l'instant où une porte se refermera derrière lui avec un claquement sourd. Regarde, Shivnath. Tu es sur la frontière ultime de ton humanité.

Regarde cet instant qui ne reviendra jamais : tu es face au miroir de l'éternité.

Cette nuit est l'heure de l'embrasement.

Cette nuit est l'aboutissement de toutes tes soifs.

Cette nuit est une planète inexplorée.

Cette nuit est celle où tu pourras enfin franchir le dernier interdit.

Il est agenouillé.

Et il se décide.

Et il abandonne la lutte qu'il se livrait intérieurement, et qui le tenait encore loin du bord.

Adieu, inutile conscience, adieu, absurde moralité, adieu illusions de bonté : les épaules se débarrassent d'un fardeau, le cou s'allège, le corps vibre de son attente. Soleil né dans l'abdomen tandis qu'il se penche. Ses deux ombres se rassemblent comme deux mains.

— Ô dieux, donnez-moi votre force et votre vigueur ! rugit-il intérieurement.

Une fulgurance l'éblouit.

Mais.

Mais, mais.

Les dieux n'obéissent pas toujours à un Shivnath. Pas plus qu'aux autres.

Stupeur. Le beau mécanisme se grippe. Sitôt cabré, le sexe retombe. Tout s'affaisse. Stupeur.

Le soleil intérieur se voile de honte.

Il ne comprend pas, mais ne s'inquiète pas. Il se caresse furtivement, étonné de ce faux départ – cela ne lui est jamais arrivé jusqu'ici.

— Allez, sois gentille, délicieuse chose… Obéis… Le paradis t'attend !

Mais la délicieuse chose tarde à obéir.

La délicieuse chose semble même morte.

Quoi ? Lui, impuissant ? Impossible ! Il tente de faire revenir la sanguine rigidité de tout à l'heure, mais bien que son corps frémisse comme une cocotte-minute, au bas de l'abdomen, rien ne suit : calme plat.

Il n'y croit pas. Il regarde autour de lui, soupçonnant une force surnaturelle qui agirait contre lui.

L'endroit est empli de remous, de houles, de grands vents, embrumant sa tête.

Les statues semblent le regarder de leurs yeux de pierre. Un cri âpre lui parvient du ciel. Depuis la nuit, une constellation effroyable se réveille comme pour le frapper, si jamais, si jamais, il osait.

Lui, le fier incroyant, se met à trembler d'une frayeur religieuse telle qu'il n'en a jamais connu. Il est suspendu entre désir et terreur, hypnotisé par la respiration de Chinti qui soulève son dos d'un rythme doux, son visage endormi, sa bouche boudeuse et humide, ses jeunes joues tristes dans le sommeil, ses cheveux à l'odeur d'encens, hypnotisé par cet amour qui le rend immobile et l'assaille de sensations si contradictoires qu'il ne sait plus qui il est. Dehors, les cloches sonnent, les conques barrissent, les voix résonnent, et dans Bénarès jamais endormie, les dieux dansent parmi les flammes.

Lui, le fier incroyant, imbibé de whisky et d'un amour meurtrier, voit Chinti lui échapper à cause de la trahison de son propre corps, mais aussi à cause des regards démultipliés des statues, braqués sur lui, et qui semblent le condamner pour une erreur qu'il n'a pas encore commise.

Lui, le fier incroyant, commence alors à se fouetter le sexe pour le réveiller. Il ne doit pas, non, se laisser berner par sa peur, aucune punition ne l'attend. Qui oserait lever la main sur lui, lui, Shivnath, Lui, le plus grand de tous, sondeur de l'abyssale stupidité des hommes, tisseur de mythes et de mensonges, maître des pluies et de la sécheresse, Lui, Shivnath, divinisé dans son propre temple, Lui, Shivnath, l'Homme absolu !

Comment alors, comment, comment, peut-il perdre sa puissance devant une fourmi ?

Ce nom, Chinti, ce nom, la fourmi, lui rappelle ce qu'elle est.

Et aussi ce qu'elle n'est pas.

Ce qu'elle ne sera jamais.

Une déesse.

Une déesse ?

L'absurdité de cette pensée le fait ricaner. Comme si Kali allait se réincarner dans une enfant de la Ruelle, née de la chair d'une pécheresse telle que Veena, Veena à qui il a fait l'aumône de son corps, elle lui devait au moins ça, une enfant, un jouet, un petit jouet pour amuser ses sens, c'est tout ce qu'elle est, Chinti, finalement, un jouet, voilà, rien de plus, rien d'autre qu'un jouet qui lui procurera le délice d'une heure, d'un jour, mais pas un miracle, un mirage, c'est tout, vite effacé par le vent, bientôt anéanti par sa mâle présence : Lui.

Lui impuissant ? Non, non, ça jamais ! Pas Lui.

La crainte le fait transpirer, mêlée à une rage qui fait trembler ses joues et son ventre et ses cuisses, une eau aigre suinte de ses aisselles et mouille les replis de son cou, une eau salée qui gagne ses yeux, goutte de son pénis flasque, caoutchouteux comme un concombre de mer. Il a l'impression que bientôt ses intestins lâcheront aussi pour parfaire son humiliation, et alors il ne sera plus qu'une loque, une limace, une larve. Mais non, c'est impossible. Cette malédiction, il le comprend maintenant, vient de Chinti. Avant elle, jamais le moindre doute, la moindre peur, la moindre défaillance. Mais elle l'a tant fasciné, ensorcelé, manipulé avec ses ruses de diablesse, qu'au moment où il devrait recevoir sa juste récompense, le voilà frappé dans sa nature d'homme, pas de doute, pas de doute, c'est elle qui l'a mis dans cet état, cette torpeur malsaine, jamais il n'a autant pué, il sent sa propre odeur comme celle d'une bête, d'un chien galeux, d'un rat mort, il doit se libérer d'elle, c'est ce qu'il doit faire pour redevenir Lui, vrai, entier, fort, magnifique, il doit se libérer, il doit –

Tremblant de sa colère et de la déroute de son corps, il pose les deux mains sur le cou de Chinti et se met à serrer.

Autour de nous, la ville frémit. Cette ville plus ancienne que les dieux, cette ville qui transcende les époques et l'éternité, cette ville qui ne semble pas avoir été créée par les hommes mais par les soubresauts de la terre, les brassages du fleuve, les soupirs du ciel et l'embrasement de la foudre, cette ville peinte au pinceau des fumées et des flammes, qui absorbe les peines et les espoirs, les aspire et les avale, s'en imprègne et devient lourde, de plus en plus lourde, si lourde que bientôt elle sombrera comme un navire dans son océan de cadavres, voilà qu'elle frémit et tremble et résonne d'un glas annonciateur qui saisit les gens au cœur, qui les fige au milieu de leurs activités, qui les fait se tourner vers le ciel ou vers les temples ou vers la terre en se demandant d'où vient ce son, ce son de toutes les fins, ce grondement de monstre longtemps endormi qui s'éveille enfin. Le ciel a pris les couleurs de la lave, l'air se charge d'un venin, le sol se fait plus meuble et plus glissant, et les dévots tombent à genoux en demandant pardon. Ceux qui étaient déjà plongés dans le Gange sont submergés par une vague si violente et si brève qu'ils en restent interdits, ne sachant s'ils doivent se laisser noyer en un dernier sacrifice qui leur offrira la paix éternelle, hors du cycle des renaissances, ou bien fuir pour d'ultimes réjouissances. Mais la honte et la culpabilité les retiennent, alors ils se figent et attendent que la ville exprime sa volonté – s'ils doivent mourir ici, pourquoi pas ? De quel meilleur endroit pourraient-ils rêver pour en finir ?

Mais la ville ne se préoccupe guère des millions de fourmis anonymes qui grouillent en son sein. Elle se moque de ces infinies mortifications, ces ridicules mises en scène d'une espèce qui n'a jamais compris ses limites et qui pense encore pouvoir agir sur son destin. En réalité, la ville n'a frémi que pour un seul Être : Chinti.

Le même tremblement qui secoue la ville fait vaciller Veena.

À cet instant, Veena pourrait être une éléphante, une guenon, une rate ou une femme, qu'importe, toutes semblables, puisque toutes mères. Et la ville, elle aussi, est une sorte de mère.

Bénarès porte la mort dans son ventre comme un enfant sublime, et l'on ne peut y mettre les pieds sans croire que la mort nous est amie.

Peut-être est-ce la mort, l'enfant de Bénarès ?

Ou peut-être la mort est-elle notre mère à tous ?

Toujours est-il que Veena comme la ville ont toutes deux perçu la plainte, l'appel, le cri, d'une enfant menacée. Non, pas seulement elles, mais toutes les femmes, toutes, car elles se sont redressées et se sont tournées vers le temple de Shivnath. Nous en premier, les femmes de la Ruelle et les hijras.

Nous nous sommes précipitées. Sans attendre, sans mot, sans signal. Aucun prêtre n'aurait pu s'interposer face à cette horde dont le seul but n'était pas de détruire mais de sauver.

Nous nous sommes déployées dans le temple et ses annexes à la recherche de Chinti.

Et nous l'avons trouvée.

Le cri de rage semble provenir de partout à la fois. Surpris, Shivnath se redresse et abandonne Chinti, qui hurle, les yeux grands ouverts.

Il regarde autour de lui et ne voit personne. Seule la flamme des lampes à huile éclaire la pièce, mais elle vacille sous un coup de vent, puis s'éteint. Ne restent que les lueurs qui viennent de l'extérieur, rougeoyantes comme le sont toutes les lueurs de Bénarès.

C'est là, à cet instant, que les statues se mettent à bouger, à prendre vie.

Jusqu'alors figées dans leurs formes dansantes, elles deviennent la manifestation de sa peur.

Leurs yeux se braquent sur lui, leurs bouches s'ouvrent dans un rictus, leurs bras multipliés s'agitent, leurs jambes démesurées martèlent leur colère sur le sol.

Puis toutes s'élancent vers lui.

Dans sa folie, Shivnath ne nous reconnaît pas, nous les femmes de la Ruelle, nous, les hijras, qui entrons dans la pièce et convergeons sur lui comme des statues de pierre que la rage anime et embrase.

À cet instant précis, nous ressemblons toutes à Kali, la déesse souveraine et souterraine, dévoreuse de foies et de cœurs. Nous piétinons la terre jusqu'à la faire trembler. Aux yeux de Shivnath, nous sommes prêtes à charcuter les hommes, boire leur sang, aspirer l'air de leurs poumons, les éviscérer. Nous sommes la vengeance de la terre et l'immense rage des femmes à jamais agenouillées devant la toute-puissance des hommes.

Maintenant, seulement maintenant, Shivnath comprend que les statues et les filles de Kali étaient les mêmes, tout ce temps, déesses cachées sous leur forme la plus humble. Depuis toujours, il les a méprisées, bafouées, humiliées, usées jusqu'à la chair. Il ne se doutait pas qu'elles étaient plus puissantes que lui. Aujourd'hui, il sait qu'elles sont venues chercher Chinti. Elles sont venues chercher leur fille, le fruit de leur chair, et réclamer leur vengeance contre celui qui aura osé s'en prendre à elle.

Leur fille, leur enfant, leur progéniture sacrée : Chinti.

Chinti ! Tout est survenu lorsqu'elle est venue au monde. Qui est-elle ? se demande-t-il soudain. Malgré son cynisme, il a grandi dans une société croyante à l'extrême. Mais à présent, il regarde Chinti et il a l'impression que ses yeux ouverts, braqués sur lui, le brûlent, l'incinèrent, que ces yeux sont ce troisième œil que Shiva a toujours utilisé pour punir ceux qui osent le défier. Shiva et Shakti, les deux moitiés mâle et femelle, les deux parts du divin que portent en elles les hijras, et que Shivnath, serviteur de Shiva, n'a pas su servir. Mais Chinti, leur fille, fille des deux moitiés, de l'équilibre du monde, va à présent l'anéantir.

Shivnath recule, recule, jusqu'à ce qu'il soit adossé au mur. L'une des statues, la plus terrible, s'est arrêtée et se penche sur Chinti. Elle la soulève dans ses bras, la berce ; la rassure de son chant.

Toutes se tournent alors vers lui. Il ne s'est jamais senti aussi nu, aussi faible. Homme, mais aussi rien du tout. La fureur meurtrière déforme le visage des statues. Il sait maintenant qu'elles sont de vraies femmes, nous, les maudites de la Ruelle, mais aussi plus que nous. Toutes. Nous marchons vers lui. Chinti, dans les bras de sa mère, brille d'une lumière impossible.

Face à cette fureur, à cette marée de colère, Shivnath se met à courir comme un lapin poursuivi par la meute. Il se précipite vers une fenêtre ouverte, y grimpe et saute.

Mais lorsqu'il retombe au pied du temple, la terre se dérobe et l'envoie rouler au bas du coteau qui surplombe le *ghat* menant vers les bûchers et vers le Gange.

Il dégringole, tentant de s'agripper à quelque chose qui pourrait ralentir sa chute, mais il n'y a rien, rien, il a construit son temple juste au-dessus d'un *ghat* pour montrer sa puissance, mais voici qu'il dévale les marches de pierre usées par les pieds des pèlerins et plonge vers les brasiers allumés tout au bas, qui attendent de le recevoir.

À cet instant, Shivnath comprend combien est fragile cette frontière. Et bien plus fragile encore, le corps d'un homme.

Si la ville pouvait rire, elle le ferait. N'empêche que tous ont ressenti au même instant une joie inopinée.

Shivnath a eu son grand brasier, sa sépulture étincelante, mais personne ne l'a su. D'ici quelques heures, il sera méconnaissable, identique à tous les corps brûlés : amas minuscule de cendres et d'ossements qui seront triés par les Doms et jetés dans le fleuve. Les enfants récupéreront sa bague et son collier en or, qui les feront danser de joie.

Les statues vivantes sont sorties du temple aussi vite qu'elles y sont entrées. Et tout aussi vite, elles se sont mêlées à la nuit, aux ombres. Elles ont disparu sans bruit, tandis que les prêtres tentaient en vain de comprendre ce qui venait de se passer.

Personne n'a remarqué le petit groupe de femmes qui se glissaient souplement hors de la ville, si parfaitement invisibles que même ceux qui les croisaient pensaient avoir perçu le battement d'aile d'un oiseau ou une brise furtive.

Personne n'a vu l'enfant serrée dans les bras de celle dont le visage arborait encore la fureur d'une déesse.

Personne n'a vu l'armée de femmes, forteresse de chair érigée autour d'elle et de l'enfant pour les protéger des regards.

Et, au sortir de la ville, à l'abri d'un bosquet d'arbres recouverts de cendres, personne ne les a vues se rassembler, et reprendre leur souffle et leur apparence humaine.

Ensuite, elles se sont regardées, les yeux écarquillés : victorieuses, enfin.

Nous nous pensions impuissantes face au destin. Mais quelque chose s'est réveillé en nous cette nuit, qui brûlera tout sur son passage pour Chinti. Pour que Chinti ait enfin une existence digne de ce nom.

Nous redécouvrons en nous des puissances trop longtemps oubliées. Une stature, une énergie qui s'accompagne d'une excitation jamais ressentie : celle de découvrir un pouvoir que nous commençons seulement à mesurer.

Chinti, ouvrant les yeux, se met à pleurer en se serrant contre sa mère. Mais lorsque je m'approche, elle sourit. Veena me la tend, partage intime, et je la prends dans mes bras.

Puis elle est passée de bras en bras, chacune l'embrassant, lui offrant cet amour entier que savent offrir celles qui ont tout perdu.

Lorsque nous la reposons à terre, elle est déjà plus grande. Son regard est un défi.

Nous sommes restées là, reprenant notre souffle et nos esprits avant de nous remettre en route.

Lorsque nous partons, nous sommes plus légères. Nous étincelons de notre joie. J'entends un rythme sous mes pieds, qui ressemble à s'y méprendre à celui de ma chanson :

Jhumka gira re… Bareli ki bazar me…

Et nous éclatons d'un rire frais et fragile comme la paix descendue sur la ville juste avant que les déesses se réveillent.

Merci à Chloé Deschamps pour son regard éclairé
Et à l'association New Light *dont le travail*
a inspiré ce roman

DE LA MÊME AUTEURE (*Suite*)

Poésie

Le Long Désir, Gallimard, 2003.

Quand la nuit consent à me parler, Éditions Bruno Doucey, 2011.

Ceux du large, Éditions Bruno Doucey, 2017.

Les Promenades de Timothée, Éditions Dodo Vole, 2019.

Danser sur tes braises, suivi de Six décennies, Éditions Bruno Doucey, 2020.

Cet ouvrage a été achevé d'imprimer sur Roto-Page
par l'Imprimerie Floch à Mayenne
pour le compte des éditions Grasset
en décembre 2021.

Mise en pages
PCA 44400 Rezé

PAPIER À BASE DE
FIBRES CERTIFIÉES

Grasset s'engage pour
l'environnement en réduisant
l'empreinte carbone de ses livres.
Celle de cet exemplaire est de :
450 g éq. CO_2
Rendez-vous sur
www.grasset-durable.fr

N° d'édition : 22295 – N° d'impression : 99568
Première édition, dépôt légal : septembre 2021
Nouveau tirage, dépôt légal : décembre 2021

Imprimé en France